검수사 면접시험 특강(24년대비)

감정사,검량사,검수사연구회 Cafe

검수사 면접시험 특강(24년대비)

발   행 | 2023년 12월 7일
저   자 | 김한규
펴낸이 | 한건희
펴낸곳 | 주식회사 부크크
출판사등록 | 2014.07.15.(제2014-16호)
주   소 | 서울특별시 금천구 가산디지털1로 119 SK트윈타워 A동 305호
전   화 | 1670-8316
이메일 | info@bookk.co.kr

ISBN | 979-11-410-5732-9

목 차

면접시험 절차와 방법 ·· 3

제1장. 검수일반 ·· 9

제2장. 특수화물 검수 ·· 45

제3장. 컨테이너화물 검수 ·· 51

제4장. 하역서류와 무역거래조건 ·· 79

제5장. 기초단위와 선박톤수 ·· 105

1

면접시험 절차와 방법

면접시험(2차)은 1차시험과 달리 기출문제가 공개되지 않습니다.
본 교재에 수록된 기출문제는 수험생들의 인터뷰를 바탕으로 한 것이고
예상문제는 출제 가능한 내용들을 심층 분석하여 정리한 것입니다.

1. 면접시험 출제범위

○ 면접시험 출제범위는 광범위 하다.

☞ 면접시험의 출제범위는 "필기시험과목의 이론지식, 실무지식 및 이론과 실무의 응용능력"이라 정하고 있어 결코 쉽지만은 않은 시험이다. 많은 문제를 물어보는 것도 아니라서 과도한 긴장으로 인해 답변을 잘 못하거나 정확히 알고 있지 않아 핵심을 생략한 답변으로 불합격될 수 있다. 1차 시험부터 중요한 내용은 객관식으로만 끝내지 말고 주관식화 하여 답변을 미리 준비해 가는 것이 중요하다.

○ 면접시험 문제는 지역별, 시간대별로 다르게 출제된다.

☞ 시험장소는 인천, 부산, 광주의 지정된 장소에서 치르게 되며 시험문제는 먼저 시험을 치른 수험생들이 다른 수험자들과 공유될 수 있으므로 문제는 지역별로 달리 출제되고 같은 지역은 시간대별로 달리 출제된다. 같은 지역 같은 시간대에 거의 동일한 문제가 출제된다. 보통의 시험시간은 다음과 같다. 시험순서는 당일 시험안내시 추첨으로 결정한다.

구분	수험자입실시간	시험안내 / 순서추첨	면접시험
1부	08:30	08:30~09:00	09:00~10:30
2부	10:00	10:00~10:30	10:30~12:00
중 식 시 간			12:00~13:00
3부	12:30	12:30~13:00	13:00~14:30
4부	14:00	14:00~14:30	14:30~16:00

○ 검수사 시험 범위내에서만 질문하지 않는 경우도 있다.

☞ 검수사의 시험범위는 넓게 보면 감정사, 검량사 시험범위를 포함한다고 해도 과언이 아니다. 검수사 면접시험에서도 감정사에 대한 내용을 물어보는 경우도 있다. 예를 들어 검수사 면접시험에서 B/L(선하증권)의 종류에 대해서도 묻는 경우도 있고 감정사 시험에서 컨테이너의 운송시스템에 대해서도 물어 볼 수도 있다.

○ 영어로 질문하고 답변해야 하는 경우가 있다.

☞ 과거의 면접시험은 해기사 면접시험 방식과 유사하게 진행되어 면접관이 영어로 묻고 영어로 답을 해야 하는 경우가 있었으나 최근에는 영어 관련 문제는 한 문장 정도의 적요(remark)를 영어로 묻고 이 뜻을 해석하여 답하는 수준이다. 개인정보를 면접관과 수험생이 서로 알 수 없도록 블라인드 방식의 면접을 하므로 "자기소개를 영어로 하시오"라는 문제는 물어볼 수 없다.

○ 2차면접 문제는 1차 필기시험에 빈출되는 문제들이다.

☞ 1차와 2차 시험방식의 차이는 있으나 시험범위가 같으므로 본 면접대비 책자는 1차 시험의 요약본이라고도 할 수 있다. 필기시험 전에 꼭 숙지하시길 권장 드린다.

2. 면접시험 절차

○ 면접은 개인별로 면접장에 입실한다.

☞ 공단에서 지정한 일시와 장소에 미리 대기하고 있다가 안내에 따라 장소를 이동한 후 면접순서를 추첨으로 정한다. 추첨순서에 따라 면접장으로 이동하여 시험을 치르면 된다. 면접은 약 5분정도 소요된다.

○ 면접시험은 블라인드 방식이다.

☞ 면접관 2인이 수험자 1인에 대해 서로 볼 수 없도록 블라인드(칠판이나 칸막이 등)를 사이에 두고 음성으로 질의와 답변을 한다. 필기도구나 수첩 등을 지참할 수 없으며 면접관들이 볼 수 없다 하더라도 자기 신분과 관련된 복장을 착용할 수 없다.

○ 개인별로 3~5개 문제를 질문하며 구술로 답을 해야 한다.

☞ 보통 3개를 질문하고 모두 답변하거나 전부 답변을 못하는 경우 면접을 마치게 되고 추가로 물어보는 경우는 면접관이 합격, 불합격에 대한 결정을 못하거나 확신이 없는 경우 추가질문의 답변 여하에 따라 합격여부를 결정하는 것으로 보인다. 바람직한 상황은 아니지만 면접관에 따라 심지어 7~10까지 질문하는 경우도 가끔 있으니 유의바란다.

○ 면접관이 이 분야의 전문가라 생각해서는 곤란하다.
☞ 시험 출제범위가 매우 다양하고 광범위하기 때문에 선박, 선체, 항해, 기관, 무역, 보험 등 모든 범위의 한명의 전문가는 존재하지 않는다. 면접관은 공단에서 제공한 문제와 모범답안만을 가지고 판정한다 라고 생각하면 된다.

○ 답변을 할 때 먼저 핵심내용을 이야기 하고 추가적인 내용을 설명한다.
☞ 면접관이 본인의 면접 답안지에서 답을 빠르게 찾아 수험생의 답변을 신뢰하며 들을 수 있도록 답변은 처음에 핵심적인 내용을 말하는 것이 유리하다. 예를 들어 "CFS에 대해서 설명하시오"라는 질문을 받았을 때 용어의 약자와 정의에 대해 먼저 답변하고 핵심적인 내용 3가지 정도 답변하면 충분하다. 내가 말한 내용이 면접관이 가지고 있는 모범답안지에 없는 경우도 있을 수 있으므로 알고 있는 내용과 관련지식을 추가로 설명하는 것도 요령이다.

(면접관) CFS에 대해서 설명하시오.
(수험생)
○ Container Freight Station의 약자이며 소량 컨테이너 화물 집합소입니다. 즉 LCL(Less than Container Load Cargo) 화물을 모아서 하나의 컨테이너로 구성하기 위한 장소입니다. ○ 수출의 경우 컨테이너 1개에 만재하지 못하는 소량화물을 지정된 장소에서 집결하고 이를 양하지별로 구분해서 컨테이너에 넣어야 하는데 이를 적입이라 합니다. ○ 수입의 경우에는 혼재화물을 컨테이너에서 꺼내어 수하인마다 분할하여 인도하여야 하며 이를 적출이라 합니다. 선박회사측이 이런 작업을 하는 장소를 CFS라 부릅니다.
(면접관) 추가로 답변하실 내용이 있습니까 ?
(수험생) CFS 위치는 선박회사가 지정하는 장소로 되어 있으며 우리나라의 경우 세관의 허가를 받은 지정된 장소이어야 한다.
(수험생) 이상입니다.

4. 검수사의 시험과목 및 출제범위[1]

4-1. 영어
- 영문 선적서류의 대의 해득
- 영문 검량·감정보고서의 작성
- 간단한 화물사고의 영문적요 기입
- 영문 해난보고서 해득
- 영문 화물사고 항의서의 해득
- 검수에 관한 실무영어

4-2. 검수에 관한 일반적 지식
- 항만운송사업법
- 검수실무
- 검수화물의 종류 및 검수의 방법
- 화물의 기초 및 검수용어해설
- 검수안전수칙
- 손상화물의 상태 검사

---

[1] 「항만운송업무 처리지침」, 해양수산부, 2020. 10. 8

제1장. 검수일반

□ 항만운송사업과 항만운송관련사업에 대해 설명하시오?

★★★[감정사/검량사/검수사]

○ 항만운송사업(4가지) : ①항만하역사업, ②검수사업, ③감정사업, ④검량사업
  * 항만하역사업 : 타인의 수요에 의하여 화물을 운송하는 일
○ 항만운송관련사업(5가지) : ①항만용역업(통선, 경비, 줄잡이, 청소, 청수공급),
  ②선용품공급업(식품, 선용품, 부속품, 집기류등), ③선박연료공급업, ④선박수
  리업, ⑤컨테이너수리업
☞ 「항만운송사업은 몇 가지이며 각 항목에 대해 설명하시오?」 또는 「항만운송
  관련사업의 종류는?」, 「항만용역업의 세부 사업종류를 말하시오?」 등으로
  질문할 수 있다.

□ 항만용역업에서 제공하는 용역의 종류를 설명하시오?

1) 통선업, 2) 경비업, 3) 줄잡이업, 4) 청소업, 5) 청수공급업

□ 항만종합서비스업이란 무엇인가?

○ 항만용역업과 검수사업 · 감정사업 및 검량사업 중 1개 이상의 사업을 포함
  하는 내용의 사업을 말한다.
○ 여기서 항만용역업에는 이안 및 접안을 보조하기 위하여 줄잡이 역무를 제
  공하는 행위 및 화물 고정 행위가 포함되어야 한다.

□ 항만운송사업법에서 검수업무의 정의에 대해 설명하시오?   ★[검수사]

○ 선적화물(船積貨物)을 싣거나 내릴 때 그 화물의 개수를 계산하거나 그 화물
  의 인도 · 인수를 증명하는 일을 "검수(檢數)"라 한다.
  * 항만운송사업법 제2조(정의) 제14호(2021.1.1.)
☞ 「검수의 법적정의에 대해 말하시오?」 도 같은 질문이다.

□ 검수업무에 대해 설명하시오?

○ 항만에서 이루어지는 검수업무는 검수사가 제3자의 입장에서 공정성, 신속
  성, 정확성을 가지고 화물을 확인하여 그 결과를 검수표에 기록하여 당사자
  간의 분쟁 및 책임의 소재를 명확히 구분 · 증명하는 업무이다.

□ 항만운송사업법상 검수사업의 인원과 자본금의 등록기준은 무엇인가?

★★[검수사]

○ 검수사업은 1급지, 2급지, 3급지로 구분되어 있음
○ 검수사 인원등록기준
1) 1급지(부산항, 인천항, 울산항, 포항항, 광양항) : ① 부산항 40명 이상,
   ② 인천항 25명 이상,   ③ 울산항·포항항·광양항의 경우 7명 이상
2) 2급지(마산항, 군산항) : 3명 이상
3) 3급지(1급지, 2급지를 제외한 항) : 2명 이상
○ 자본금은 1급~3급지 모두 5천만원 이상으로 동일하다.

□ 항만운송사업법상 검수사 자격 취득의 결격사유는 무엇인가?

★[검수사]

○ 제8조(결격사유) 다음 각 호의 어느 하나에 해당하는 사람은 검수사등의 자격을 취득할 수 없다.〈개정 2016. 12. 27〉
1) 미성년자
2) 피성년후견인 또는 피한정후견인
3) 「항만운송사업법」 또는 「관세법」에 따른 죄를 범하여 금고 이상의 형의 선고를 받고 그 집행이 끝나거나(집행이 끝난 것으로 보는 경우를 포함한다) 집행이 면제된 날부터 3년이 지나지 아니한 사람
4) 「항만운송사업법」 또는 「관세법」에 따른 죄를 범하여 금고 이상의 형의 집행유예를 선고받고 그 유예기간 중에 있는 사람
5) 검수사등의 자격이 취소된 날부터 2년이 지나지 아니한 사람

□ 항만운송사업법상 검수사 자격이 말소되는 경우는?
○ 제9조(등록의 말소) 해양수산부장관은 검수사등이 다음 각 호의 어느 하나에 해당하면 그 등록을 말소하여야 한다.
1) 업무를 폐지한 경우
2) 사망한 경우 등이다.

□ 항만운송사업법상 검수사 자격이 취소되는 경우는?　★[검수사]

○ 제8조의3(자격의 취소 등) 해양수산부장관은 다음 각 호의 어느 하나에 해당하는 경우에는 검수사등의 자격을 취소하여야 한다.

1) 거짓이나 그 밖의 부정한 방법으로 검수사등의 자격을 취득한 경우

2) 제8조의2제1항을 위반하여 다른 사람에게 자기의 성명을 사용하여 검수사등의 업무를 하게 하거나 검수사등의 자격증을 다른 사람에게 양도 또는 대여한 경우

> 항만운송사업법 제8조의2(자격증 대여 등의 금지) ① 검수사등은 다른 사람에게 자기의 성명을 사용하여 검수사등의 업무를 하게 하거나 자기의 검수사등의 자격증을 양도 또는 대여하여서는 아니 된다.
> ② 누구든지 다른 사람의 검수사등의 자격증을 양수하거나 대여받아 사용하여서는 아니 된다.
> ③ 누구든지 다른 사람의 검수사등의 자격증의 양도·양수 또는 대여를 알선해서는 아니 된다. 〈신설 2020. 1. 29.〉
> ⇒ 위반시 1년 이하의 징역 또는 1천만원 이하의 벌금

□ 감정사, 검량사, 검수사 업무에 대해 설명하시오?

○ 감정사(Certified Surveyor) : 선박회사, 화주, 보험사, 기타 제3자 등의 의뢰를 중립적 위치에서 공정하게 조사, 계산, 확정 및 증명서를 발급하며, 화물, 선박, 운송기기, 해운과 관련된 수량, 용적, 중량, 상태, 품질, 손상 및 손해에 대한 조사, 검사, 사정, 입증 및 증명서를 발급한다. 또한, 국외적인 분쟁, 손해 등의 발생시에는 외국 의뢰자들은 검량, 감정보고서를 요청함으로써 제3자의 감정인으로서의 법적 효력을 충족 하고 있다.

○ 검량사(Certified Measurer) : 국제간의 합의된 계약에 의한 선적화물중 액체화물, 곡물과 같은 산물, 기체화물 기타 각종 저장탱크와 화물의 용적 또는 중량을 이해당사자가 아닌 제3자적 위치에서 공정한 산정과 검측계산하여 공증적 증명을 행하며 국외적인 분쟁, 손해 등의 발생시에는 외국 의뢰자들은 검량, 감정보고서를 요청함으로서 제3자의 검량인으로서의 법적 효력을 충족하고 있다.

○ 검수사(Certified Tallyman) : 수출입 화물이 송하주로부터 수하주에게 인도되기까지의 선적, 양하, 환적 등 모든 화물의 정확한 개수의 계산, 상태

의 확인 및 수도(受渡)의 증명을 행하며, 화물사고에 따른 선박회사 및 하주의 권익보호를 위한 객관적인 제3자의 관점에서 공정성과 정확성을 증명하는 공증적 자료로써 검수사에 의해 작성된 검수표에 의하여 무역 당사자 간의 분쟁 및 책임의 소재를 명확히 구분 증명하는 업무이다.

☞ 감정사와 검량사에 대해서 묻는 질문은 없겠지만 유관업무이므로 기본적인 사항을 알아두어야 한다.

□ **검수작업의 종류에 대해 설명하시오?**

○ 검수업무는 1) 부두측 검수작업, 2) 본선측 검수작업, 3) 컨테이너 화물 검수작업, 4) 기타 검수작업으로 구분된다.

1) **부두측 검수작업** : 하주(荷主)의 의뢰를 받아 선박 또는 화물의 양륙작업이 이루어지는 장소에서 행하는 검수작업을 말하며, 선사에서 완전 상태로의 화물을 인수하는 것을 하주측 입장에서 수취하여 입증하는 행위를 말한다.

2) **본선측 검수작업** : 해상운송계약에 의한 인수·인도의 행위로서, 운송인이 계약한 화물의 인수·인도에 따른 완전이행을 위하여 운송인측 입장에서 행하는 검수증명행위를 말한다.

3) **컨테이너 화물 검수작업** : 해상을 통하여 이루어지는 수출·수입 컨테이너 화물에 대한 검수작업으로 주로 본선상에서 다음과 같은 업무들이 이루어지고 있다.

① 선박에서는 컨테이너를 양하·적하 작업을 할 때에 입회하여 컨테이너에 대한 점검확인

② CFS에서의 적입(stuffing), 적출(unstuffing) 작업을 입회하여 이에 대한 적입화물의 수량, 기호, 품명, 외장상태를 점검 확인하여 인수·인도를 증명

　＊ CFS : Container Freight Station의 약자이며 소량 컨테이너 화물 집합소이다. LCL(Less than Container Load Cargo) 화물을 모아서 하나의 컨테이너로 구성하기 위한 장소이다.

③ 컨테이너 사용인수증 발행으로 선사의 효율적인 자산관리

④ 컨테이너와 관련된 업무로서 육상 또는 보세장치장(CFS)에서 컨테이너 반출·반입업무 및 재고화물의 파악

⑤ 본선 작업시 파손 컨테이너에 대한 침수방지를 위한 응급조치

4) **기타 검수작업** : 항만에서 이루어지는 양륙작업에 입회하여 화물의 반출·반

입 작업에 입회하거나 트럭 등 운송수단을 이용한 연결지점에서의 인수·인도를 위한 검수작업을 말한다.

※ 여기에서 자주 사용되는 '하역(荷役)'의 뜻은 짐을 싣고 내리는 것을 말한다. 짐을 싣는 일은 적하(積荷), 짐을 내리는 일은 양하(揚荷)이다. 하(荷)와 화(貨)는 같은 뜻으로 쓰인다. 예를 들어 하주(荷主) = 화주(貨主), 송화주 = 송하주, 선하증권 = 선화증권으로 혼용해서 쓰이고 있다.

□ '부두측 검수작업'과 '본선측 검수작업'을 구분 설명 하시오?
○ 부두측 검수작업은 화주측 입장에서 수취에 대하여 입증하는 행위를 말하며 본선측 검수작업은 운송인측 입장에서의 검수증명 행위를 말한다.

□ 검수의뢰 주체는 누구인가?
○ 하주측 또는 선주측
○ 무역화물의 인수·인도 과정에서 검수사의 역할이란 무역화물의 운송과정에서 거래 당사자로서는 감당하기 어려운 화물의 인수·인도 부분을 하주 또는 선사로부터 의뢰를 받아 제3자적 입장에서의 공정성과 정확성으로 개수의 계산, 종류의 선별, 손상화물에 대한 검사 확인등의 업무를 수행한다.

□ 검수시 손상(damage)화물 발견시 조치사항은 무엇인가?   ★[검수사]
○ 검수시 손상화물이 발견되면 그 상태를 파악하여 검수표(tally sheet)에 기재하여야 한다.
○ 하역작업의 경우 당직사관 입회하에 운송중에 생긴 손상화물에 대한 상태를 설명하고 수석검수사에게 보고한다.

□ 화물의 수출입 통관에 있어서 검수업무를 통해 얻는 장점 3가지를 말하시오?
    ★[검수사]
1) 검수의 정확성, 신속성, 공정성으로 인한 신용의 증대
2) 검수작업을 기초로 한 화물인수·인도의 증명
3) 현장업무 수행으로 인한 정확한 상황인식
4) 항만에서 화물의 이동 상황에 관련한 정보의 제공
5) 운송중 사고발생 방지에 대한 의견제시

6) 화물의 적재상황 및 성질에 대한 파악 용이

7) 사고발생시 책임소재의 명확한 증명

8) 책임한계에 대한 정확한 자료제시

9) 선사업무에 대한 긴밀한 협조

10) 관세업무의 협조

□ 화물 과부족 보고서(Cargo Over Landed/Short Landed Report)란 무엇인가?

○ 화물 과부족 보고서는 양하시 작성하는 보고서이다.

○ 과부족이 있는 화물에 대하여 선하증권별로 기입하며 과부족을 명시한다. 화물과부족이 생겼을 경우 선하증권에 첨부한다.

○ 적요란에는 적하지에서 화물을 선적하지 않았으면 "Short shipped at loading port" 그리고 육지쪽에서 재검수를 요할 때에는 "In dispute"로 각각 기록한다.

□ 검수사가 작성하는 서류에 대해 말하시오

○ 검수표(Tally sheet)

○ 일일작업보고서(Cargo Daily Operation Report)

○ 화물이상유무보고서

○ 화물과부족보고서(Cargo over landed/short landed report) 등이다.

□ Final Out Turn & Exception Report란 무엇인가?

○ 양하지 화물검사 및 화물손상보고서이다.

1) Out turn report(양하지 검사 보고서) : 선박회사의 대리인으로서 CFS (Container Freight Station) 또는 CY(Container Yard) 운영업자가 적재 선명별로 인도시의 화물상태를 일람표에 정리하여 선박회사에 제출하는 서류이다. 선박회사는 Out turn report에 의해 화물의 멸실, 손상의 상태를 파악하고 그 대응책을 세우기 위한 자료로 사용함과 동시에 추후 수화인으로부터 화물 클레임이 있을 경우, 그 처리를 위한 참고자료로 활용한다.

2) Exception List : 컨테이너 화물 등에 이상이 있는 것을 정리한 것을 "Exception List"라 한다. 이것은 터미널 및 CY 또는 CFS 운영업자가 선

박회사를 대리하여 적재할 선박별로 화물을 인수받을 때 화물에 이상이 있을 때 Dock Receipt에 그 내용을 기재하게 된다. 이것을 기초로 하여 Exception List라 한다.

3) 종합하면 화물의 총괄표이며 화물의 과부족과 파손상태, 책임소재를 확인하는 서류를 "Final Out Turn & Cargo Exception Report(양하지 화물검사 및 화물손상(이상유무)보고서)"라 한다.

□ 검수작업할 때의 유의사항에 대해서 아는대로 말하시오?

1) 검수작업에 안전하고 적합한 장소를 선정하여 작업에 임한다.
2) 검수표상에 작업일시, 선명, 선창별, 하역회사명, 기상 등 필요사항을 기재한다.
3) 담당 선창(창구)의 검수사 입회이전의 작업여부에 대하여 파악한다.
4) 화물적재위치와 작업순서 등을 확인하며 단일화물을 작업할 때에는 일정량의 화물을 적재하도록 작업원에게 지시한다.
5) 하역작업중 화물에 대한 정확한 수량확인을 위하여 매 5 sling 또는 10 sling 단위로 인수자, 인도자와 상호 대조·확인한다.
6) 상호간에 수량에 대한 착오 또는 사고 발생시에는 작업을 중단하고 수석검수사에게 보고한 후 재확인 한다.
7) 근무를 교대할 때에는 반드시 작업현장에서 인수인계를 해야 하며 당사자간에 명확한 작업사항을 인수인계한다.
8) 파손화물을 발견할 때에는 수석검수사 또는 당직사관에게 연락하여 파손화물의 상태를 확인시켜 파손의 원인 및 책임한계에 대한 결정내용을 정확히 검수표에 기재한다.
9) 작업중 하역부주의로 인하여 발생되는 화물에 파손에 대해서는 하역회사 책임자에게 확인 후 서명을 받고 작업을 계속한다.
10) 검수사는 본선작업 완료후 수석검수사에게 제반작업 상황을 보고후 하선한다.

□ 검수작업시 지켜야 할 안전수칙에 대해서 말하시오?

1) 작업계획을 수립하고 작업전 충분한 안전교육을 실시하여야 한다.
2) 개인안전보호구를 반드시 착용한다.
3) 컨테이너 봉인을 점검할때에는 후미에서 대기중인 야드트랙터가 충분한 안

전거리를 유지하고 있는지 확인한다.

4) 하역장비의 위험성을 파악하고 안전거리를 유지한다.

5) 크레인 위나 본체에 앉거나 기대지 않도록 한다.

6) 지게차의 후진이나 회전시 충돌하지 않도록 주의한다

7) 작업중 어떠한 경우라도 하역장비를 등지고 작업하지 말고 부득이 작업을 수행할 경우 반드시 안전조치를 실시한후 작업한다.

8) 안전공간 또는 지정된 장소이외서는 절대휴식을 취하지 않는다.

9) 검수사가 차량에 올라탈 경우 운전자에게 신호를 보내고 안전하게 탑승한다.

□ **본선 갑판(deck)에서 검수작업시 주의사항 및 안전수칙을 말하시오?**

1) 검수원은 본선 갑판을 통행시 해치커버나 빔이 적재되어 있는 위를 통행해서는 안된다.

2) 와이어, 화물네트, 슬링 등의 하역기구 위를 통행해서는 안된다.

3) 하역(荷役)*중 갑판을 통행할 때는 화물의 낙하, 흔들림, 하역기계의 케이블 등을 확인한 후에 통행한다.
   * 하역 : 짐을 싣고 내리는 일(적하 및 양하)

4) 갑판상 검수시 하역기계나 하역중 돌발사고에 대비하여 안전한 장소에서 검수한다.

5) 원목 검수작업 시 슬링와이어의 묶음 상태를 확인하고 슬링에서 빠져 나오는 원목의 낙하로 인한 위험을 항시 대비해야 한다.

6) 갑판상에 쌓아놓은 해치커버 또는 빔 위에서 검수할 때에는 안전장치 여부를 확인해야 한다.(원칙은 해치커버 위를 통행해서는 안된다)

7) 본선에서는 업무상 불필요 장소에 출입하지 않는다.

□ **본선 화물창(Hold, 선창) 검수시 주의사항 및 안전수칙을 말하시오?**

1) 화물창(선창)을 출입할 때에는 사다리의 안전 상태를 확인한다.

2) 하역중에는 사다리 이용은 위험하므로 사용을 삼간다.

3) 화물창 내에서 화물의 흔들림에 주의한다.

4) 화물창 내 하역 시 안전대피 지역이 없는 곳은 들어가서는 안된다.

5) 화물의 양하, 적하시 통과지점 밑으로 통행하지 않는다.

6) 장척화물(lengthy cargo)이나 중량화물(bulky cargo) 검수시 화물의 위치

확인 및 흔들림에 주의한다.

7) 윈치등 하역기계에서 나오는 물이나 기름에 의한 미끄럼에 주의한다.

8) 화물네트를 사용하여 하역하는 화물은 하역중 미끄럼에 의해 떨어질수 있으므로 선창중앙으로 나와서는 안된다.

□ 부두에서 검수작업시 주의사항 및 안전수칙을 말하시오?

1) 부두작업은 비교적 위험성은 적으나 오히려 돌발적인 재해를 입을 수 있으니 신중해야 한다.

2) 지게차를 이용한 작업이 이루어 질 때 장소의 협소로 인한 방향의 급전환 등 예기치 못한 방향에서 화물이 다가오는 경우가 있어 사고의 위험이 될 수 있다

3) 지게차에 검수원이 올라가거나 조작하는 행위는 자신뿐만 아니라 타인에게 재해를 일으킬 수 있으므로 절대 행동을 금한다.

4) 목고작업*이나 손수레를 이용한 화물이동시 노무자의 전방이 보이지 않아 사고가 일어날 수 있으므로 주의해야 한다.

   * 목고작업 : 크레인 등으로 하역망을 이용하여 화물을 부두에서 차량이나 선박으로 싣거나 내리는 작업

5) 작업중 화물의 묶음이나 슬링에서 벗어나 화물이 떨어질 수 있으므로 신중하게 검수해야 한다.

6) 자동차나 화차(기차) 등의 화물 적재 시에는 갑작스런 차량의 전·후진 추돌에 유의해야 한다.

7) 부두상옥(上屋)*, 창고, 야적장 등에 화물이 높이 쌓여 있을 경우 가까이 가지 않는다.

   * 부두상옥 : 수송화물을 보관·선별하거나, 작업 또는 대기하는데 쓰려고 부두나 부두 근처에 지은 건물

8) 겨울철이나 우천시 시각 및 청각에 방해가 되어 사고를 당할 수 있으므로 항상 주의해야 한다.

9) 부두작업시 많은 차량이 통행하므로 급작스런 차량의 진입에 주의한다.

□ 부선(barge)에서 검수작업시 주의사항 및 안전수칙을 말하시오?

1) 부선에서 작업시 몸의 안정에 주의하여 바다에 추락하지 않도록 한다.

2) 부선에서 부선으로 이동하거나 안벽(岸壁)에서 부선으로 이동할 때 반드시 발판을 이용하도록 한다.
3) 부선에 적재된 화물위로 이동할 때 화물의 적재상태를 확인하여 화물 사이로 추락하지 않도록 주의한다.
4) 우천이나 서리 및 일기가 불순할 때 미끄러워지기 쉬우므로 보행에 조심하며, 부선으로 이동할 때에도 뛰어서는 안된다.

□ **특수화물(위험화물) 검수작업시 주의사항 및 안전수칙을 말하시오?**
1) 크레졸, 염산, 초산 등의 검수시 액체의 피부접촉에 주의해야 하며, 피부오염시는 즉시 비누로 씻는다.
2) 유독성 화물의 검수시 마스크를 사용한다.
3) 콜타르, 피치 등의 화물은 피부염이나 결막염을 일으킬 수 있으므로 검수시 방진안경으로 눈을 보호한다.
4) 인화성, 가연성, 유류, 화약, 면화 등의 화물을 검수할 때는 절대 금연한다.
5) 독극물의 검수시 독극물 표시에 주의한다.

□ **Head Checker's Daily Operation Report란 무엇인가?**   ★[검수사]
○ 수석검수사 일일검수보고서이다.
○ 해치별로 작성된 화물 인수·인도증명서를 집계하여 해치별로 작업시간, 노무자, 작업반수, 화물의 개수, 중량 및 용적톤수 등을 기재한 서류이다.

□ **화물 검수방법에 대해 각각 설명하시오?**   ★★★[검수사]
1) Mark Tally : 선적지시서(S/O)상에 기재된 화물의 기호, 개수 등의 상태를 확인한 결과를 검수표에 기재하는 검수방법이다.
   * 한정된 특수화물에만 사용되고 있다.
2) Sling Tally : 가장 보편적인 검수방법으로 로프 또는 네트슬링을 이용하여 하역되는 화물의 개수를 매 슬링 단위로 검수표에 기입하는 방법이다.
3) Number Tally : 화물의 기호와 화물별 번호를 확인하여 개수를 구분하는 검수방법으로 매 상자별 번호를 검수표에 기재한다. 전자제품이나 고가화물을 검수하는 사용. 또는 자동차 수출을 CKD방식으로 운송할 때 사용되는 검수방법이다.

* CKD(Complete Knock Down) : 반완성품. 운송비 절감을 위하여 중고자동차 등을 부품상태로 수출하여 현지에서 완성품으로 조립하는 방식이다.

4) Check Book Tally : 적하목록, 선적지시서, 부두수취증에 나타난 화물기호, 적하지, 양하지를 검수표에 미리 기재한 후 검수를 행하는 방법으로 본선, 창고, 육상 등에서 검수 할 때 사용된다.

   * 주로 특수화물 및 수량이 적은 종류의 화물을 검수할 때 사용된다.

5) Stick Tally(Bamboo Tally) : 화물의 수절(手切)작업 또는 입출고시 사용되는 대나무, 목재로 된 막대기로 화물 1개의 수량, 슬링별 또는 차량별로 적재 숫자를 정하는 방법으로 일정한 숫자에 의해 검수하는 방법이다.

   * 일반적으로 단일화물을 검수할 때 많이 사용 한다.

6) Bucket Tally : 산적화물(bulk cargo)을 양하 할 경우 철재로 된 하역용기 등에 의해서 산적화물의 평균 중량을 기입하여 하역작업횟수를 검수표에 기재하는 방법이다.

   * 용기의 중량에 대해서는 일등항해사의 서명을 받아둔다.

7) Pile Tally : 화물을 파렛(pallet) 또는 화물네트 등에 일정한 방식으로 적재하여 적재숫자를 가로, 세로, 높이를 곱하여 총갯수를 산출하여 검수표에 기재하는 방법을 말한다.

   * 주로 창고내, 야적장에서 사용하는 방법으로서 대량의 동일한 화물에 사용한다.

8) Counter Machine(계수기) Tally : 계수기를 이용한 검수방법으로서 신속하게 이동하는 화물에 대한 검수에 용이하나 기록이 없어 인수, 인도자간에 상호 조회할 수 없다.

   * 동일화물, 우편물을 적재할 때 이용하여 계산하는 방법

☞ 검수방법 또는 종류로 질의하거나 검수방법에 대해 3가지 이상 말해보라는 형태로 질의할 수 있다. 예를 들어 「화물검수종류에 대해 말해보시오?」라고 질문 후 「그중에서 Mark Tally에 대해 설명하시오?」 라고 질문할 수 있다.

□ Care Mark란 무엇인가?   ★[검수사]
○ 화물 포장표면에 표기하는 '주의표시' 또는 'Caution Mark'라 한다.
○ 화물의 운송 또는 보관을 할 때 취급상의 주의사항 등을 표시하는 것을 의미하며 보통포장의 측면 표시되기 때문에 사이드 마크(Side mark)라고도 한다.

💡 참고자료 - 각종 주의표시(Care Mark)

Not to be laid flat / Never lay flat (눕혀 싣지 말 것)	Keep from heat (열로부터 떨어질 것)
Keep flat / To be stowed flat (눕혀 실을 것)	Don't crush (찌그러짐 방지할 것)
Length ways (길이로 눕혀 실을 것)	Not to be stowed near boiler / Keep away from boilers and engines (보일러, 기관실옆에 적재하지 말 것)
To be kept upright / Stand on end (바르게 실을 것)	Keep out of the sun (햇빛 주의 할 것)
Stow level(수평 유지할 것)	Open this side(표시부분 부터 개장)
Use no hook / No hook (갈고리 사용금지)	Not to be stowed(packed) under heavy cargo (중량화물 밑에 적재하지 말 것)
This side up / This end up (세워 실을 것)	Perishable goods (부패물, 부패하기 쉬운 화물)
Glass with care / Porcelain with care(유리, 도자기 제품 취급주의)	Valuable (귀중품)
Handle with care (취급 주의할 것)	Liquid (액체)
Fragile with care (부서지기, 깨지기 쉬움)	Explosive (폭발물)
Keep dry / Guard wetness (습기주의 할 것)	Sling here (스링 위치)
Stow cool / Keep cool / To be kept in cool place / To be stowed in cool place (냉장장소 보관할 것)	Center hear (무게중심 위치)

□ Keep cool, Stow cool의 뜻을 설명하시오?　　　　　　　★[검수사]
○ 주의표시(Care mark)중 하나로 "냉장 장소에 보관할 것"이라는 의미이다.

□ '습기주의' 및 '햇빛 주의 할 것' 주의표시는?　　　★[검수사]
○ Keep dry / Guard wetness
○ Keep out of the sun

□ '똑바르게 실을 것'의 주의표시는 무엇인가?　　　★[검수사]
○ To be kept upright / Stand on end

□ 'Stow level', 'Length ways'및 Fragile with care'의 뜻은 무엇인가?
○ Stow Level : 수평적재
○ Length ways : 길이 방향으로 눕혀 실을 것
○ Fragile with care : 부서지기 쉬움

□ 화인(貨印)이란 무엇인가?
○ Cargo Mark 또는 Shipping Mark라고 한다.
○ 화물의 특성에 맞게 적절한 포장을 하고 포장의 외면에 특정의 기호·번호
　·목적지·취급주의 문구 등 각종 표기를 하는데, 이는 운송인·기타의 관
　계자가 타화물과 식별을 쉽게 하기 위한 것이다.
○ 화인의 주요 부분은 기호(mark)와 번호(number)로 선하증권·상업송장 등
　에도 기재하여 화물과 대조를 쉽게 한다.
○ 화인의 불비(不備)로 인한 손해는 송하인(shipper)의 책임이고, 보험회사가
　보상하지 않을수 있으므로 유의해야 한다.
☞ Care Mark와 Cargo Mark를 구분해야 한다.

□ 화인(화물마크, 화표)에 들어가는 내용에 대해 설명하시오?　★[검수사]
○ 화물들은 팰렛(pallet), 밀폐형 포장 등을 하기 때문에 외관으로는 어떤 제
　품이 어떤 화주의 물건인지 구분이 힘들게 된다.
○ 화인은 운송수단을 이용하여 물건을 운송할 때 화물외장에 특정기호, 목적
　지, 취급문구 등을 표시하는 것으로 다른 화주들의 화물과의 구분을 위해
　부착한다.
○ 필수기재사항 : ① 주화인(Main mark), ② 목적항표시(Port Mark, Destination
　mark), ③ 화물번호(Case Number), ④ 원산지 표시(Country of Origin)

○ 임의기재사항 : ① 부화인(Counter mark), ② 중량표시(Weight mark), ③ 주의표시(Care mark, Caution mark, Side mark) ④ 기타의 표시

※ 기타표시 : 수입상의 요청에 따라 ① 주문표시(order number), ② 지시표시(attention mark), ③ 물품의 등급(grade) 또는 품질표시(quality mark), ④ 품명표시(article mark), ⑤ 검사표시(passed mark), ⑥ 포장번호(package number) 등이 있다.

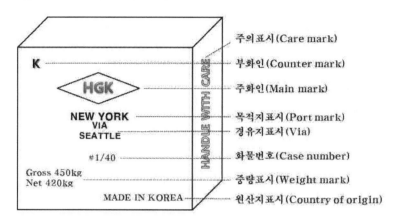

☞ 「필수기재사항은 무엇인가?」의 형태로 질의할 수 있다. 또는 「Counter mark란 무엇인가?」라고 지엽적인 사항도 물어볼 수 있다.

□ **화물선적중 화물에 Cargo Mark가 없는 경우 처리방법은? ★★[감정사]**

○ 화물의 포장에 표시된 화표는 화물을 대표하는 기호가 되고, 수화주(受貨主), 양하지 및 취급법 등을 명시하는 중요한 표시이다.

○ 바꾸어 말하면 화표는 우편물에 수취인의 주소나 성명을 기록하는 것과 같은 역할을 하게 된다.

○ 화표가 없거나 불명확하면 그 화물의 목적항, 주의표시를 알 수 없으므로 양륙착오가 발생하거나 취급을 잘못하여 화물이 손상되어 다른 화물에 피해를 끼칠 수도 있다.

○ 화표의 결여, 불명, 말소등으로 인한 수도(受渡)사고에 대해서는 운송인이 그 책임을 지지 아니한다.

○ 선적시에 화표가 없거나 불명확하면 인수를 거절하거나 M/R(Mate's Receipt ; 본선수령증)에 그 내용을 기입하여 본선의 책임을 명확히 하여야 한다.

□ 무인(無印)화물(no mark cargo, N/M)이란 무엇인가?

○ 목적지 표시(port mark)와 화물번호(case number)가 없는 화물을 말한다.

○ 무인화물의 경우는 Non-delivery(인도불이행) 등으로 화주에게 손해를 주는 경우가 많다.

　* Non-delivery : 운송인에게 인도한 수량의 전부 또는 일부가 수하인에게 인도되지 않는 경우

□ 일반화물(general cargo, 보통화물)의 종류에 대해 설명하시오?

★[검수사]

1) 정량(精良)화물(clean cargo) : 다른 화물과 혼적해도 손상을 주지 않으나 혼적시 다른 화물로부터 손해를 입을 우려가 있는 면포, 양모 등과 같은 화물

2) 조악(粗惡)화물(rough cargo) 또는 불결화물(dirty cargo) : 피혁, 자반(鹽魚) 등과 같이 물이 세어 나오거나 악취 등이 나는 화물

3) 액체화물(wet cargo, liquid cargo) : 액체나 반액체 화물을 캔, 통(barrel, cask) 등에 넣은 선적화물로 용기가 파손되면 다른 화물에 손상을 입히게 되는 화물

4) 발한(發汗)성 화물 : 화물이 수분을 함유하고 있어 운송중 수분이 증발하여 선창내 공기가 다습하게 될 수 있는 화물

☞ 일반화물과 특수화물을 구분 설명할 수 있어야 한다.

□ Dirty cargo를 예를 들어 설명하시오?　　　　　　　★[검수사]

○ 피혁, 자반(鹽魚) 등과 같이 물이 새어 나오거나 악취 등이 나는 화물

○ 조악화물(rough cargo) 또는 불결화물(dirty cargo)이라고 한다.

□ 특수화물의 종류에 대해 설명하시오?　　　　　　　★[검수사]

1) 위험화물(dangerous cargo) : 화약류, 폭발성, 발화성, 부식성 및 독성 등의 위험성이 있는 화물. IMDG Code의 적용을 받는다.

2) 부패성화물(perishable cargo) : 야채, 과일, 어육류의 가공품 등으로서 운송중에 환기불량, 고온, 고습 등의 원인으로 부패, 변질될 위험성이 있는 화물

3) 냉장화물(refrigerated cargo) : 부패성 화물로써, 그 부패성 또는 운송기간 및 기온 등의 관계로 인하여 냉장운송할 필요가 있는 화물을 특히 냉장화

물이라 한다.

4) 고가화물(valuable cargo) : 금, 은, 귀금속, 화폐, 유가증권, 공예품, 정밀기계 등과 같은 고가에 대해서는 귀중품 창고(Treasure room)에 보관한다.

5) 생동식물화물(live stock and plant) : 소, 말 등의 가축류, 조류, 어류 및 묘목 등의 동물과 식물이 산 채로 운송되는 화물.

6) 중량화물(heavy cargo) : 기관차, 객차, 자동차, 보일러 등과 같이 1개의 무게가 특별히 무거운 화물을 말한다.

7) 용적화물(bulky and lengthy cargo) : 비행기, 주정(舟艇, 소형배) 등과 같이 길이가 보통 30피트 이상이 화물이 여기에 속한다.

※ 석탄, 곡물과 같이 포장되지 않는 상태로 운송되는 Bulk Cargo와는 구분하여야 한다.

※ bulky cargo를 용적화물, lengthy cargo를 장척화물이라 구분하기도 한다

□ Bulky cargo, Lengthy cargo를 예를 들어 설명하시오?

○ 보일러, 발전기, 항공기, 교량부선 등과 같이 용적이 크기 때문에 배의 선창 내부로의 반입이 불가능하거나 곤란한 화물을 말한다. 이들은 보통 상갑판에 적재된다. 레일이나 건축용 자재와 같이 특별히 긴화물(lengthy cargo : 장척화물)도 같이 취급된다.

○ 또는 공장시설, 플랜트, 대형기계, 건축자재, 교량과 구조물등과 같은 단위 용적이나 길이가 너무 커서 특수 장비나 취급이 필요한 화물을 말한다.

※ OOG(Out Of Gauge) : 규격초과화물 〈 BBK(Break Bulk) : 여러개의 '플랫랙(flat rack) 컨테이너'가 필요한 화물

□ Bulky cargo, Bulk cargo, Break bulk cargo를 구분 설명 하시오?

1) Bulky cargo : 보일러, 발전기, 항공기, 교량부선 등과 같이 용적이 특별히 크기 때문에 배의 창구에서 선창내로의 반입이 불가능하거나 곤란한 화물을 말한다. 이들은 보통 상갑판에 적재하게 되는데 레일이나 건축용 자재와 같이 특별히 긴 화물(lengthy cargo)도 같이 취급된다.

2) Bulk cargo : 살적(撒積)화물, 곡류, 광석등과 같이 입자나 분말상태 또는 액체상태로 상자, 팔레트 등으로 규격화될 수 없는 화물을 말한다. Bulk cargo는 용기에 넣지 않고 선창이나 선박의 탱크에 적재된다.

3) Break bulk cargo : 두가지 의미를 가지고 있다.

　① bulk화물을 어떤 용기 또는 포장재 즉, drum, crate, skid 등으로 포장된 화물

　② 크기로 인해 컨테이너 같은 용기에 수납할 수 없는 화물. 특히 컨테이너화 되지 않고 재래 정기선에 의하여 운송되는 화물을 말함

　* OOG (Out of Gauge) 화물처럼 40ft flat rack과 같은 컨테이너로 선적 할 정도의 크기가 아닌 훨씬 큰 화물을 말한다.

□ 중량품과 경량품을 구분 설명 하시오?

○ 용적이 40 ft^3인 화물의 무게가 1 L/T을 초과하는 화물을 "중량품"이라하고 1 L/T이하인 화물을 "경량품"으로 구별한다.

□ CKD 화물을 무엇이라 하는가?

○ Complete Knock Down. 반완성품. 운송비 절감을 위하여 중고자동차등을 부품상태로 수출하여 현지에서 완성품으로 조립하는 방식이다.

□ 발라스트 카고는 무엇인가?

○ 발라스트 수(ballast water) 대신에 발라스트 용도로 적재하는 것을 말한다. 저화(底貨)라고도 하며 선박의 안정을 유지하기 위하여 배의 가장 밑바닥에 싣는 중량물을 말한다.

○ 적하(積荷)가 너무 소량인 경우 선박의 저화(底貨)가 없으면 프로펠러가 공회전할 우려가 있어 원양 항해가 곤란하게 되므로 저화가 필요하다.

○ Ballast tank, Deep tank 등에 해수 또는 청수를 채우는 것이 Water ballast tank이고, 그래도 부족한 경우에는 모래, 자갈, 흙 등을 Ballast로 해서 적재하는데, 이것을 고체(solid) Ballast라 한다. Ballast 대신에 운임이 아주 싼 Ballast용 화물(Cargo Ballast)을 싣는 경우도 있다.

□ 냉장화물의 종류는 어떻게 구분하는가?

1) Frozen cargo : 냉동화물(-6.7℃ 이하)
2) Chill cargo : 냉온화물(-1 ~ +5℃)
3) Cooling cargo : 양온화물(5 ~ 16℃)

□ **적재장소에 의한 화물 분류방식에 대해 설명하시오?**

1) Hold cargo : 창내적 화물, 화물창에 적재하여 운송하는 화물
2) On deck cargo : 갑판적 화물, 갑판상에 적재하여 운송하는 화물
3) Locker cargo : 특수 창고화물
4) Refrigerating cargo : 냉장화물
5) Ventilation cargo : 과일, 야채와 같이 환기를 필요로 하는 화물
6) Ballast cargo : 선창 및 선박균형을 위해 적재하는 화물
7) Top stowage cargo : 상적화물

□ **복합일관(一貫) 수송화물과 단일운송 계약화물 방식을 구분설명 하시오?**

1) 복합일관 수송화물(Multi-modal transportation cargo) : 화물의 수령지에서 인도지까지의 운송을 단일운송인의 책임으로, 단일운임으로, 두 가지 이상의 이종운송수단을 결합하는 복합운송계약 화물을 말한다. (예 : 선박+기차 또는 자동차)
2) 단일운송 계약화물(Uni-modal transportation cargo) : 일관운송을 인수한 운송인이 그의 책임으로 화물의 수령지에서 인도지까지 운송하는 동안 동종의 운송수단을 결함하여 목적지까지의 운송하는 일관운송계약화물을 말한다. (예 : 수령지에서 A선박에 선적+연계지에서 B선박 또는 C선박으로 환적)

□ **환적화물이란 무엇인가?**

○ Transshipment cargo
○ 전 운송구간을 한 개의 운송계약으로 맺은 경우 운송도중에 원래의 운송수단으로부터 다음의 운송수단에 바꾸어 실어 접속 운송하는 화물을 말한다.
○ 좁은 의미로 다른 선박에 옮겨 실은 경우만을 말하기도 하지만 가양륙한 후 같은 선박에 적재된 경우도 포함되기도 한다.

□ **통과화물이란 무엇인가?**

○ Through cargo
○ 선적항에서 목적항까지 운송중 입항하는 항구에서 양하하지 않고 통과하는 화물을 말한다.

□ 중계화물이란 무엇인가?

○ Switch cargo, 삼각무역화물, 삼국간 무역화물이라고도 한다.

○ 선적지시서(S/O)에 기재된 행선지항에 양하하여 화주가 제3국으로 다시 수출하는 화물을 말한다.

□ 연결화물이란 무엇인가?

○ Hitchment cargo

○ 2개 이상의 항에서 분할 선적하는 동일 종류, 동일 목적항, 동일 수화주의 화물을 말하며 일반적으로 1건의 B/L(선하증권)을 발행하고 있으며 선적하는 항에 따라 Local B/L을 발행한다.

□ 오지행 화물에 대해 설명하시오?

○ OCP(Overland Common Point) cargo

○ 미국 록키산맥 동쪽의 먼 지점을 지정하여 태평양 연안을 경유하여 수송되는 화물에 대하여 특정운임(IPI)을 적용하는 화물을 말한다.

　* 오지(奧地) : 해안이나 도시에서 멀리 떨어진 대륙내부의 지역

　* IPI(Interior Point Intermodal) : 내륙지점에서의 복합운송 서비스로 북미 서해안 항을 경유하여 캐나다 내륙, 미국 중서부, 카리브 내륙도시까지 수송하는 방법

　* RIPI(Reverse Interior Point Intermodal) : IPI의 반대로 북미동해안 항을 경유하여 미국내륙 중서부 도시까지 수송하는 방법

□ Land Bridge System의 종류에 대해 설명하시오?

○ 해상과 대륙을 잇는 복합운송 수송방식이다.

○ 국제무역에서 대륙을 횡단하는 철도나 도로가 해상과 해상을 잇는 교량처럼 활용되는 복합운송경로를 말한다.

○ 대표적인 LBS는 다음과 같다.

1) MLB(Mini Land Bridge) : 극동→미국 서부항만→대륙횡단→미국 동부항만

2) ALB(American Land Bridge) : 극동→미국 서부항만→대륙횡단→미국 동부 항만→유럽 등

3) SLB(Siberian Land Bridge) : 극동→러시아→시베리아횡단열차→유럽,중동

4) CLB(Canadian Land Bridge) : 극동→캐나다·미국 서부항만→캐나다 몬트리올→유럽 등

□ **포장의 종류에 대해 설명하시오?**　　　　　　　　　　　★[검수사]

○ 개장(unitary packing), 내장(interior packing), 외장(outer packing)으로 구분된다.

1) 개장 : 일반적으로 소매를 위하여 물품을 하나씩 포장하는 것을 말한다. 개장에 있어서는 안전하고 견고하게 하는 것도 중요하지만 그보다 색상, 디자인, 모양 등이 한층 더 중요시되고 있다. '개별포장'의 줄임말로 이해바람

2) 내장 : 개장된 물품을 수송 또는 취급하기 쉽도록 재료로 싸거나 용기에 담는 것으로서 내부에 판지, 솜, 플라스틱 등을 채우거나 칸막이를 하여 수분, 습기, 열, 진동 등에 손상되지 않도록 하는 것을 말한다.

3) 외장 : 외장은 화물을 운송함에 있어서 파손, 변질, 도난, 분실 등이 되지 않도록 적절한 재료와 용기로 화물을 보호하는 것을 말한다.

□ **포장형태중 'CNTR'과 'CRT'는 각각 무엇을 나타내는 의미인가?**

○ CNTR : Container의 약자표현, 컨테이너 운송용기
○ CRT : Crate의 약자표현, 내품이 보이는 나무상자

💡 참고자료 - 포장형태(Type of packing) 주요 용어

원어	약자	의미	설 명
BAG	B/G	포대	쌀, 콩, 밀, 커피등을 포장
BALE	B/L	뭉치	원면, 종이 등으로 싸서 묶은 것
BAR	BAR	막대	철봉, 평강, 각강 등
BARREL	BRL	통	포도주 등 액체를 넣은 목재
BASKET	BKT	광주리	바나나 등을 넣은 광주리
BOTTLE	BTL	병	약품, 주류 등
BURLAP	BLP		약재, 금속물용 마대
BUNDLE	BDL	묶음	철봉, 목재 등을 묶은 것
CARBOY	CBY	병	내품이 병이고 외장을 철재로 포장
CARTON	CTN	종이상자	종이상자
CASE	C/S	상자	상자로 포장된 화물 총칭
CASK	CSK	작은통	염료 등을 넣은 작은 통
COIL	C/L	코일	철선, 로프 등을 감은 것
CONTAINER	CNTR	컨테이너	운송용기
CRATE	CRT	상자	내품이 보이는 나무상자
DRUM	DRM	드럼	유류, 염료, 약품 등을 넣은 드럼
GUNNY BAG	G/BG	포대	골류 등을 넣은 포대
INGOT	IGT	주괴	알루미늄 등 덩어리
PACKAGE	P'KGS	조	포장, 화물갯수의 총칭
PALLET	PLT		화물 받침대
PIECE	PC	개	포장되어 있지 않은 것
SACK	S/K	포대	밀가루 등을 넣은 종이 포대
WOODEN CASE	W/CS		나무상자

□ 화물사고와 검수사고를 구분하여 설명하시오?　　　　★[검수사]

1) 화물사고 : 화물사고라 함은 수출입 화물이 적하목록상의 개수, 화물기호와의 상이, 파손, 내품의 감량, 하역중의 파손, 해몰 등의 사고가 발생, 이로 인하여 화물에 손상을 주는 경우를 말한다.

　　* 해몰(海沒) : 하역작업중 화물이 바다에 빠져 손해가 발생하는 것

2) 검수사고 : 작업중에 발생될 수 있는 화물개수에 대한 검수사의 계산 착오, 검수화물을 발견치 못함으로 인하여 발생될 수 있는 변상사고 또는 선적화물의 적재위치 착오로 인한 다음 기항지에서의 화물 이적 추가 비용의 발생 등을 말한다. 이러한 화물사고의 원인이 검수사의 착오로 인한 귀책사유가 확인될 경우를 검수사고라고 정의한다.

☞ 「검수사고란 무엇인가?」라고 출제된바 있다.

□ 화물사고 종류별 손해에 대해 설명하시오?　　　　★[검수사]

1) 선적시
　① 하역기구 부적절로 인한 손해
　② 작업의 부적절 및 부주의로 인한 손해
　③ 포장의 불완전으로 통상 선적작업에서 생긴 손해
　④ 선적개수의 착오

2) 화물배치시
　① 배치장소의 부적절 – 파손, 누손, 오손, 변질, 분실, 도난
　② 타 화물과의 구분이 불명확 – 파손, 연착, 분실
　③ 배치방법의 부적절 – 파손, 오손

3) 운송시
　① 파도에 의한 선박 동요
　② 폭풍우, 좌초, 충돌로 인한 침수
　③ 화재발생으로 인한 선작의 적하물 처분

4) 보관시
　① 쥐 또는 벌레로 인한 손해
　② 통풍불량, 온도관리의 부적절로 인한 손해

5) 양하시
　① 양하시 조사가 불충분하여 다른 유사화물을 양하

② 같은 종류의 화물이 함께 배치된 경우 외견상 양호한 화물 하역

③ 기타사정으로 화물을 모두 양하하지 못함

※ 화물 양하시에 발생하는 손해는 선적시 하역기구 부적절 및 작업의 부적절로 인해 발생된 손해도 포함된다.

☞ 23년 검수사 시험에서 「양하작업시 사고종류 3가지를 설명하시오?」라고 출제된 바 있다.

□ 화물사고의 종류에 대해 설명하시오?

1) 선창설비 불량에 의한 화물사고 : 선창설비 불량(통풍환기시설의 결함, Side Sparring, Limber Board, Scupper Pipe, Bottom Ceiling의 불완전, 빌지파이프 막힘), 누수, 선창소제의 불완전

　* Side Sparring(선측 내장판) : 화물을 적재하는 선창내 양현측 외판에 붙어있는 프레임에 앵글을 설치하고 화물이 선체외판과 직접 접촉하는 것을 방지하여 습기 등에 의해 화물의 손상을 예방하는 일종의 보호장치

　* Limber Board(오수로 판) : 선체 및 만곡부에 괸 오수(bilge)를 검사하기 위하여 설치된 판

2) 하역작업중 발생되는 화물사고 : 하역설비 및 하역용구의 결함, 하역작업원의 부주의와 작업미숙, 일기불순중 하역, 야간하역 등

3) 화물적부 불량에 의한 화물사고 : 다종다양한 화물의 혼적 및 분리, 적부장소의 선정불량, 던니지 등 적부방법 불량

4) 해상운송중 관리불량에 의한 화물사고 : 통풍환기불량, 방수불량, 빌지측심불량, 방화

5) 화물의 성질에 의한 불량 : 화물의 포장 및 화표의 불량, 화물 고유의 성질에 의한 손상

6) 황천에 의한 화물사고 : 황천에 의한 선박동요, 이동, 마손등 화물손상

□ '통풍환기 불량'과 '화물의 포장 불량'은 화물사고 원인중 각각 어디에 해당하는가?

○ '통풍환기 불량'의 경우는 「해상운송중 관리불량에 의한 화물사고」이고 '화물의 포장불량'은 「화물의 성질에 의한 불량」에 해당한다.

　* '통풍환기시설의 결함'은 「선창설비 불량에 의한 화물사고」에 해당한다.

□ 선창설비 불량에 의한 화물사고의 원인에 대해 3가지 이상 말하시오?

○ 선창의 통풍환기시설의 결함, Side Sparring·Limber Board·Scupper Pipe ·Bottom Ceiling등의 불완전한 상태, 빌지파이프 막힘, 선창의 누수, 선창 소제의 불완전 등으로 화물이 손상되는 것을 말한다.

□ 일반적요와 현재적요에 대해 설명하시오?　　　　　★★[검량사/검수사]

○ 선적전에 기재되는 적요를 일반적요, 선적시에 화물의 상태에 의하여 현재 의 사고가 있거나 앞으로 운송중에 사고발생의 우려가 있는 것을 고려하여 기재되는 적요를 현재적요라 한다.

1) 일반적요(General remark) : 선적화물은 외관상 양호한 상태(Apparent Good Order and Good Condition)로 적부되는 것이 원칙이다. 선측 수 도는 외장의 수도이므로 외견적으로 외장이 완전한 화물은 무사고 적요(No remark)로 수도 되지만 화물 종류 또는 포장 상태에 따라 운반기간 중 내 품의 변질, 파손, 외부포장의 파손 등 예상치 못한 손상 혹은 사고가 생길 우려가 있으므로 이에 대비하여 부기하는 적요를 일반적요라 한다. 일반적 요에 대한 적용은 선적지시서를 발행할 때 기재되고 있고 이 경우 선사, 하 주측과 협의하여 본선수취증(M/R)에 기재하여야 한다.
   * 수도(受渡) : 화물을 인수(引受), 인도(引渡)하는 것

○ 현재적요(Conditional or Exceptional remark) : 발생하고 있는 화물사고 에 대하여 그 현상에 따라 기입되는 적요로서 하주의 클레임 등에 대항하여 그의 손해배상의 책임이 면제되는 효력을 가지고 있는 것이며 일반적요는 관습상 기재되는 성질의 것이므로 실제의 화물사고에 대하여서는 본선측에 서 선적까지 이미 발생하고 있는 사고라는 것을 증명하는 것이 현재적요이 다. 현재의 화물상태로 보아 당연히 사고가 발생할 우려가 다분한 화물을 부득이 선적해야하는 경우에는 이러한 요지의 적요를 반드시 기입하여야 하 며 필요한 경우에는 적부에 있어서 감정인의 검사를 받고 또 후일에 해난보 고서를 제출하면 본선측에 과실이 없었던 것을 증명하는 것이 필요하다.

□ 일반적요에서 N/R은 어떤 의미인가?　　　　　　　　★★[검량사]

○ 일반적요(General remark)는 선적화물은 "외관상 양호한 상태(Apparent Good Order and Good Condition)"로 적부되는 것이 원칙이다. 일반적

요는 현재적요와 달리 선측수도는 외장의 수도이므로 외견적으로 외장이 완전한 화물은 무사고 적요(No Remark)로 수도되지만

○ 화물종류 또는 포장상태에 따라 운반기간 중 내품의 변질, 파손, 외부포장 의 파손 등 예상치 못한 손상 혹은 사고가 생길 우려가 있으므로 이에 대 비하여 부기하는 적요를 일반적요라 한다

○ 일반적요에서는 이를 N/R, 즉 Not Responsible로 선박에서는 책임이 없 다는 뜻이다.

☞ 내용품의 파손 또는 이상에 대하여 책임이 없음(N/R for breakage and Condition of contents)

☞ 액체화물, 내용품의 파손, 누손 책임 없음(Liquid cargo, S/N/R for breakage and leakage of contents) * S/N/R : Ship's Not Responsible

※ N/R은 No Remark(무사고 적요)의 뜻도 될 수 있다.

□ **S/N/R의 의미는?**   ★★[검수사]

○ S/N/R : 일반적요에서 사용된다. Ship's Not Responsible이라는 의미이 고 선박에서는 책임 없다는 뜻이다.

※ Liquid cargo, S/N/R for breakage and leakage of contents : 액체화 물, 내용품의 파손 및 내용물 누손에 대해서는 선박(운송인)의 책임이 없음)

※ N/R(Not Responsible) for breakage and Condition of contents : 내 용품의 파손 또는 이상에 대하여 책임이 없음)

□ **현재적요에 사용되는 적요에 대해 설명하시오?**

1) FOUND IN STOW : 수입화물의 경우 난태화물이 본선상에서 해치 개방전 또는 양하전에 발견된 본선책임의 난태화물 적요

   * 난태화물 : 포장이 파손되어 내용물이 유출된 상태의 화물

2) DURING DISCHARGE BY STEVEDORE(LABOURS) : 수입화물의 경우 작업원의 부주의로 인하여 발생되는 난태화물 적요

3) PRIOR TO LOAD : 수출화물의 경우 본선에 적하 이전에 운송중 또는 자 체적으로 발생된 난태화물 적요

4) DURING LOAD BY STEVEDORE(LABOURS) : 수출화물의 경우 작업원 의 부주의로 인하여 발생되는 난태화물 적요

□ 화물의 선적전에 화물이 뒤섞여져 있을 때 적요에 기입하는 현재적요는 무엇인가?
○ 'Prior to load'이다.

□ 하역인부를 영어로 말하면?   ★[검수사]
○ stevedore, longshoreman, docker

□ '10 C/S Short in dispute'의 의미는 무엇인가?
○ 10상자(Case)가 부족하여 논쟁중이라는 뜻
○ 예를 들어 화주측은 100 C/S라고 주장하고 본선측은 90 C/S라고 주장하는 상태에서 개수의 확인이 어려운 경우이다.

□ rusty, soiled, spoiled 적요의 각각 설명하시오
1) rusty : 녹슨, 녹슨 것
2) soiled : 더러워진 것
3) spoiled : 상한 것, 썩은 것

□ '1개의 코일이 변형되었다'의 적요는?
○ 1 Coil deformed

☼ 참고자료 – 각종 검수 용어

용 어	해 석	용 어	해 석
adrifted	떨어져 나감, 표류 (drifted)	gouged top off	뚜껑이 없어진
appox.	대략, 약(approximately)	grazed	껍질이 벗겨짐
bare	포장하지 않은 것	intact	원상태로, 완전함
bent	구부러진 것	moulded	곰팡이가 쓴 것
buckled	휘어진 것 / 조이다	pitted	구멍이 난 것
bulged	불룩튀어 나온것	pushed	우그러진 것
bung off	마개가 빠진것	rotten	썩은 것
caked	내용물이 굳어진 것	rubbed	마찰로 긁힌 것
chafed	마찰로 깍인	rusty	녹슨것
chipped	깍여나감/흠집이 생긴	scratched	긁힌, 찰과상
clogged	밀폐된 것	shocked	자극이 간 것
cracked	금이간, 쪼개진 것	smashed	찌그러짐 / 박살남
crimped	주름이 지다	softened	얼음등이 녹음
crushed	찌그러진 것	soiled	더러워진 것
dented	우그러진 것	spoiled	썩은 것
destroyed	파괴된 것	stained	오염된, 더러워진 것
discolored	변색된 것	tangled	실이 얽힌 것
distorted	비틀어진 것	telescope	포개져 들어간 것
dusty	먼지가 묻은	torn	파열, **찢어진** 것(tear)
fractured	골절된 것, 부서진 것	twist	비틀어짐
gashed	갈라진 틈이 생김	waved	외장이 파도에 파손
gouged	도려낸, 구멍이 난것	wavy	흔들리는

□ F.I.O란?　　　　　　　　　　　　　　★★★[감정사/검량사/검수사]
○ 선내 적화, 양화 비용을 선주와 화주중 어느쪽이 부담하느냐에 따라 운임을 결정하는 방법중 하나이다.
○ Free In & Out이라고 하며 적화와 양화시 선창내 하역노임을 모두 화주가 부담하는 형태이며 운송자 입장에서 적하, 양하 비용이 면제(free)된다는 의미이다.
○ 식량, 비료, 광석 등 대량화물을 운송하는 부정기선이 대부분 취하는 형태이다.
○ 적화, 양하 비용을 선주(또는 운송인)가 부담하는 조건을 Berth Term 또는 Liner Term이라고 하고 주로 정기화물로서 General cargo 적하, 양하 조건을 말함
※ FI(Free In), FO(Free Out), FIO(Free In & Out), FIOS(Free In & Out, Stowed), FIOST(Free In & Out, Stowed & Trimmed)

□ 선적, 양하 및 본선내의 적부, 화물정리비를 모두 화주의 책임과 비용으로 이루어지는 조건은?
○ FIOST(Free In & Out, Stowed & Trimmed)

□ 화물 고정방법(이동방지작업)에 대해서 설명하시오?
　　　　　　　　　　　　　　　　　★★★[감정사/검량사/검수사]
○ 선박에서 화물을 고정하는 방법은 1) 지주법, 2) 고박법, 3) 쵸킹 등으로 구분할 수 있다.
 1) 지주법(Shoring, 쇼링) : 목재, 철재, 벨트 등을 이용하여 컨테이너 내 화물을 움직이지 않도록 고정하는 것이다. 견고한 끈으로 화물을 컨테이너 벽면에 고정되도록 하거나 쇼링바(shoring bar)로 불리는 목재나 철재를 이용하여 지지하는 방법이 있다. 목재 쇼링을 할 때는 병충해 유입가능성이 있기 때문에 특수 열처리된 목재를 사용하여야 한다. 선박에 적재된 화물을 고정시킬 때에 사용되는 지주법의 정의는 버팀목(shores)과 버팀대(brace)로 선박에 실린 화물이 선박의 흔들림에 따라 움직이는 것을 방지하기 위하여 고정시켜 주는 방법을 말하기도 한다.
 2) 고박법(Lashing, 라싱) : 화물이나 컨테이너를 선박에 고정시키는 것과 화

물을 컨테이너에 넣고 고정시키는 것 모두를 뜻하는 용어이다. 즉, 로프, 와이어 등을 이용하여 선적된 컨테이너와 화물을 고정시키는 것과 벨트를 이용하여 컨테이너내 물품을 고정하는 것을 라싱이라고 한다. 유럽, 미주 등에서는 오렌지색 벨트를 요구한다. 화물을 컨테이너에 적입할 때는 컨테이너 측벽이나 바닥에 설치된 라싱 아이(lashing eye)나 라싱 링(lashing ring)에 로프나 밴드를 사용하여 고정시킨다. 갑판에 적재된 목재화물의 라싱법은 턴 버클(turn buckle)을 사용하여 졸라매고 풀때는 슬립 훅(slip hook)을 사용한다.

3) 쵸킹(Chocking), 브레이싱(Bracing), 블로킹(Blocking) : 적재화물 사이의 빈공간에 목재나 에어백 등 보강물로 틈을 매워 화물간 흔들림을 최소화시키는 고정작업이다. 브레이싱은 화물이 위아래로 흔들리지 않도록 고정하는 것을 말하고 블로킹은 화물이 좌우/앞뒤로 움직이지 않도록 고정하는 것을 말한다.

☞ 용어에 대해 개별적으로 질문할 수 있다.

□ 던니지(Dunnage)란 무엇인가?　　　　★★★[감정사/검량사/검수사]

○ 화물자체를 선박에 적재할 때 화물상호간 또는 화물과 선체의 마찰로 인한 손상방지, 화물무게분산, 화물이동방지 및 습기등으로 부터 보호하기 위하여 각목으로 화물사이에 끼우거나 판재, 매트등을 밑바닥에 까는 자재를 말한다.

○ 던니징(dunnaging)의 잘못으로 인하여 생긴 화물의 손해는 운송인이 배상책임을 지게 되므로 본선에서는 화물적재시 운송인으로서 최선을 다하였음을 입증할 수 있는 '적부감정서(stowage survey report)'를 받아 놓는다.

○ 던니지용 재료로는 목재, 대나무, 매트, 버랩(burlap), 방수지(kraft paper, Vinyl), 목재 통풍통(Venetian ventilator), 시프팅 보드(shifting board), 던네지용 화물 등이 있다.

☞ 던니지에 대해서 설명하시오? 또는 던니지를 사용하는 이유, 사용목적, 사용장소 등에 대해서도 질문할 수 있다.

□ 적화계수(Stowage Factor)란?　　　　★★★[감정사/검량사/검수사]

○ 선창에 화물을 적재하였을 때, 화물 1롱톤이 차지하는 선창용적(ft³)을 나타

낸다. 부피가 작으며 무거운 화물일수록 적화계수가 작게 나타난다. 일반적으로 적화계수라고 하면 화물틈을 포함하는 경우를 말한다.

$$적화계수(S/F) = \frac{사용한 \ 선창구획의 \ 총베일 \ 용적(ft^3)}{구획안에 \ 만재한 \ 화물의 \ 중량(L/T)}$$

☞ 22년 감정사 시험에서는 일부 면접관이 적화계수를 단위를 변환하는 방법에 대해 질문이 있었다. 중량이 LT(롱톤)일때 용적은 ft^3이므로 적화계수 단위는 ft^3/LT이 되고, 중량이 MT(메트릭톤) 일때 용적은 m^3이므로 적화계수 단위는 m^3/MT가 된다.($1m^3 = 35.3ft^3$)

☞ 23년에 감정사 시험에서는 적화계수단위는 「롱톤만 되고 메트릭톤은 안되는가?」라는 질문이 있었다.

<예1> 베일용적이 400,000 ft^3인 화물창에 적화계수가 50인 화물을 가득 싣는다면 화물의 무게(L/T)는?

☞ $적화계수(S/F) = \dfrac{사용한 \ 선창구획의 \ 총베일 \ 용적(ft^3)}{구획안에 \ 만재한 \ 화물의 \ 중량(LT)}$,

$50 = \dfrac{400,000ft^3}{LT}$, $\quad LT = 8,000$

<예2> 일반화물선 선창의 베일 용적(Vb)이 34,425 m^3이다. 적화계수 (S/F) 75 ($2.093m^3/T$)의 잡화를 싣는다면 최대 적재 중량(ton)은 약 얼마인가?

☞ $적화계수(S/F) = \dfrac{사용한 \ 선창구획의 \ 총베일 \ 용적(m^3)}{구획안에 \ 만재한 \ 화물의 \ 중량(MT)}$,

$2.093m^3/T = \dfrac{34,425m^3}{ton}$, $\quad ton = \dfrac{34,425m^3}{2.093m^3/T} = 16,447.7$

□ 밀과 철의 적화계수의 차이에 대해 설명하시오? ★[감정사]

○ 적화계수란 화물 1롱톤이 차지하는 선창용적을 ft^3단위로 표시한 값이다. 적화계수가 작을수록 중량화물이다.

○ 적화계수값이 밀 50, 철 14이다.
  * 시멘트 32, 석탄 42~48, 쌀 50~52, 감자 70

○ 선창에 적재할 수 있는 화물량은 화물의 중량 및 모양, 즉 적화계수에 따라 달라지게 된다. 적화계수가 큰 경량품은 화물 1톤을 적재하는데 적화계수가 작은 중량품보다 많은 선창용적이 필요하므로 적재할 수 있는 화물량은 선

박의 적용용적에 의해 제한을 받는다.

○ 또한 각각의 화물은 고유한 적화계수를 가지지만 같은 화물일지라도 적재하는 방법과 장소에 따라서 적화계수는 변화한다.

□ **그레인용적과 베일용적을 구분 설명하시오?**

○ 적화용적은 화물을 싣기 위해 사용되는 선창안의 전체용적을 말하는 것으로서 적화용적에는 그레인용적(Grain capacity)과 베일용적(Bale capacity)이 있다.

1) 그레인용적 : 이 용적은 선창 내 외판의 내면, 선저 내판의 윗면, 갑판의 밑면으로 이루어지는 선창용적에서 프레임, 갑판 빔(Deck beam), 사이드 스파링(Side sparring), 기둥(Pillar) 및 갑판 거더(Deck Girder) 등의 용적으로 선창용적의 0.5%를 공제한 용적을 말한다. 광석이나 곡물 등을 선창안에 산적(Bulk) 상태로 적재했을 때에 차지하는 선창용적이 된다.

2) 베일용적 : 베일등 포장된 화물을 선창안에 실었을 때 차지하는 선창용적으로 일반적으로 베일 용적은 그레인 용적의 90~93% 정도가 된다.

□ **화물적부도는 무엇인가?**　　　　　　　　　　　★[감정사]

○ 화물적부도(cargo stowage plan)는 각 구역의 적화상태를 일목요연하게 파악할 수 있게 함으로써 하역의 진행을 편리하게 하며 양륙착오 등의 화물사고가 없게 하기 위한 목적으로 작성한다.

○ 본선 선창에 화물이 적재된 상태를 나타낸 도면으로 양륙지에서 하역작업에 중요한 참고자료가 된다.

□ **STOWAGE PLAN(화물적부도)을 2번 작성하는 이유는?**　★★[감정사]

○ 화물적부도는 선적 전에 작성하는 "적화계획 적부도"와 적화작업이 완료된 후 작성하는 "완성 적부도"가 있다.

○ 두번 작성하는 이유는, 실제 화물 선적 작업을 하게 되면 최초 계획과는 다르게 선적하는 경우가 있기 때문에, 화물을 선적하기 전 1회 작성하고, 화물을 선적한 후 1회 작성 하는 것이다,

□ 적화용적도에 대해 설명하시오?
○ 화물적부에 필요한 선창, 탱크 등 용적을 나타내는 도면을 적화용적도라 한다.
○ 적화용적도는 화물적화의 목적만을 위해 각 구획의 형상이나 장애물의 유무에 따라 실제 선적화물의 적화용적을 고려하여 본선에서 실측하여 작성한다.
○ 적화용적도는 각 변을 선박의 치수비와 같게 하여 하부선창은 종단면도, 중갑판은 평면도로 표시한다. 또 이를 소구획으로 나누어 $40ft^3(1.13m^3)$를 1톤으로 한 용적톤으로 표시한다.

□ 항만하역 요금에 따라 규격화물, 포장화물, 유태화물, 산화물로 구분되는데 각각 화물의 종류를 설명하시오?
○ 규격화물 : 팔레트화물, 프리슬링(pre-sling), 컨테이너
○ 포장화물 : 상자화물, 베일화물, 번들화물
○ 유태화물 : 고철, 원목, 철강재, 자동차
○ 산화물(산적화물) : 광석류, 석탄류, 양곡류

□ 화물의 정지각이란?
○ Angle of Repose.
○ 어느 화물의 원추형 사면이 수평면과 이루는 각도를 말한다.
○ 정지각이 적으면 적을수록 이동성이 크며(잘 흘러내린다) 화물 입자간의 마찰정도에 따라 차이가 있다. 즉 정지각이 50도인 화물이 30도인 화물보다 덜 흘러 내린다.
※ 곡류(20~30도), 석탄(30~40도), 광석(30~50도)

□ 액상화 화물이란?
○ 운송허용 수분치를 넘는 수분을 함유하고 있으면 수분에 의해 화물이 액상화할 우려가 있는 화물.

□ 화물틈율이란 무엇인가?

○ 화물틈(broken space, broken stowage)이란 화물을 선창내에 적재할 때, 선측이나 갑판 등에는 어느 정도 빈공간이 있게 되고 화물과 화물사이에도 틈이 생기게 되는데 이들 공간을 화물틈이라 한다.

○ 화물틈율은 다음식과 같다.

$$f = \frac{V_b(\text{베일용적}) - V_c(\text{화물이 차지하는 선창의 용적})}{V_b(\text{베일용적})} \times 100$$

○ 무포장 목재가 비교적 크고, 석탄이 비교적 작다

□ Full and Down의 개념을 설명하시오?

○ 선박이 화물에 의해 만선(full)이 되고 적화비중이 잘맞아 최대의 흘수까지 선박이 가라앉아 있는(down) 상태를 나타내는 말로 이럴 경우 선박은 안전한 상태에서 최대의 수익을 올릴수가 있다. 이상적인 만재상태, 안전만재라 한다. 즉, 만재흘수선(cargo deadweight)에 도달하고 선창도 충만(cubic capacity)한 상태를 말한다.

□ 체선료와 조출료에 대해 설명하시오?

1) 체선료(Demurrage) : 선박이 약정된 정박기간 안에 화물을 선적하거나 양하 하지 못했을 때 발생되는 비용으로 선주와 선박을 빌려 화물을 운송하는 용선자 사이에서 발생한다. 체선료는 정박기간을 경과한 일수에 따라 선주가 용선자에게 청구하는 비용이며 일종의 패널티이다.

2) 조출료(Despatch) : 원래 계획하여 정한 선박의 정박기간보다 빨리 선적 또는 양하가 완료될 경우에 선주가 화물의 주인인 용선자에게 지급하는 요금을 말한다. 절약한 정박기간 만큼에 대해 선주가 지급하는 환급금으로 신속한 하역을 위해 인센티브 개념으로 선주가 보상하는 것을 말한다.

※ 지체료(Detention charge) : 운송인이 컨테이너 작업을 위해서 CY에서 공 컨테이너를 가져온뒤 자기 창고에서 오랫동안 방치를 해두는 경우나 수하인이 컨테이너를 반출해서 자기 창고로 가져온 후 CY에 빈컨테이너를 무상기간내에 반납하지 않은 경우 발생하는 비용

□ **정박기간에 대해 설명하시오?**

1) 청천하역일(WWD ; Weather Working Days) : 해상운송에서 날씨가 하역 작업에 가능한 날이라는 뜻으로 이 날만을 정박일수로 산정할 때 사용되는 항만용어이다.

2) 연속정박기간(Running laydays) : 항해용선(Trip Charter ; Voyage Charter) 에서 하역기간을 규정한 경우 시계바늘로 세어서 24시간을 1일로 한다는 약정이다. WWD(청천하역일, Weather Working Day)와 대비되는 조건이 다. 따라서 우천(雨天), 파업 및 기타 불가항력 등의 원인을 불문하고 비록 실제로 하역불능일이 있었다 하더라도 모두 이것을 정박기간에 산입한다. 이 조건하에서는 정박기간의 개시로부터 연속 24시간을 1일로서 계산한다. 일요일 및 공휴일에 대해서도 이것을 제외한다는 취지를 특별히 명시하지 않는 한 정박기간에 산입한다.

※ 관습적 조속하역(CQD ; Customary Quick Dispatch) : 얼마나 빨리 하 역할 수 있는가 하는 하역조건 중에서 하루의 하역량을 한정하지 않고, 그 항구의 관습에 따라 가능한 한 신속히 하역하는 관습적 조속 하역조건을 말한다. 정기선의 개품 운송의 경우 대개 이 조건에 의한다.

제2장.   특수화물 검수

□ 특수화물의 검수 대상에는 어떤 종류가 있는가?

○ 위험화물(1~9급), 강재화물, 차량등이 특수화물 검수 대상이다.

□ IMO에서 위험화물과 관련하여 제정한 코드 3가지에 대해 말하시오?

★[검수사]

○ IMO(국제해사기구)에서는 국제해상인명안전협약(SOLAS 1974) 제7장(위험물의 운반)을 통해 다음과 같은 규칙들이 규정되어 있다.

1) IMDG Code : 포장된 형태의 위험물의 운송 규칙
   * International Maritime Dangerous Goods Code

2) IMSBC Code : 산적고체형태의 위험물의 운송 규칙
   * International Maritime Solid Bulk Cargoes Code

3) IBC Code : 위험액체 화학물을 산적 운송하는 선박의 구조 및 설비 규칙
   * The International Code for the Construction and Equipment of Ships Carrying Dangerous Chemicals in Bulk

○ 추가적으로 다음 2가지 코드가 더 있다.

4) IGC Code : 액화가스를 산적 운송하는 선박의 구조 및 설비 규칙
   * International Code for the Construction and Equipment of Ships Carrying Liquefied Gases in Bulk

5) INF Code : 포장된 형태의 사용후 핵연료, 플루토늄 및 고준위 방사성 폐기물의 선박운송을 위한 특별요건 규칙
   * International Code for the Safety Carriage of Packaged Irradiated Nuclear Fuel, Plutonium and High Radioactive Waste on board Ships

□ IMDG 코드에 대해서 설명하시오?

★★[감정사]

○ International Maritime Dangerous Goods의 약자이다.

○ 국제해사기구(IMO)에서 위험물을 1~9등급으로 구분하고 UN 번호순으로 정리한 규칙이다.

○ IMDG code란 국제 해사 위험물 운송규칙으로 2,900여종에 달하는 포장된 형태 위험물의 해상운송을 위한 적재 방법 등을 규정한 국제규칙이다. 1965년 9월 국제해사기구(IMO)에 의해 채택되었으며 SOLAS 협약 제7장에 규정되어 있다.

□ **IMDG Code 9가지에 대해 설명하시오?** ★★★[감정사/검량사/검수사]
○ 제1급부터 9급까지 분류(영어로 답변을 요구하기도 한다)
 1. 제1급 화약류(Class 1. Explosive)
 2. 제2급 고압가스(Class 2. Gases)
 3. 제3급 인화성액체류(Class 3. Flammable Liquid)
 4. 제4급 가연성물질류(Class 4. Flammable Solids)
 5. 제5급 산화성물질류(Class 5. Oxidizing substance and Organic peroxides)
 6. 제6급 독물류(Class 6. Toxic Substance)
 7. 제7급 방사성물질(Class 7. Radioactive material)
 8. 제8급 부식성물질(Class 8. Corrosive)
 9. 제9급 유해성물질(Class 9. Miscellaneous Dangerous goods)
※ 1급~9급의 한글명칭은 「위험물 선박운송 및 저장규칙」으로 통일하였다.
☞ 면접관에 따라 순서에 따라 물어보기도 하고 「제3급, 5급, 7급에 대해 말하시오」라고 특정해서 질의하기도 하고 「1급부터 6급까지 말하시오」라고 질의하거나 「IMO의 위험물 코드」, 「SOLAS의 위험물 코드」등으로도 다양하게 질문하는 경향이 있다.(매년 출제되는 문제이다.)

□ **SOLAS에 대해서 설명하시오?**   ★★[감정사]
○ International Convention for the Safety of Life at Sea의 약자이다
○ 1974년 해상인명안전협약으로 국제적으로 통일된 원칙과 그에 따른 규칙의 설정에 의하여 해상에서의 인명안전 증진 및 선박의 안전을 위한 선박의 구조, 설비 및 운항에 관한 최저기준을 설정하기 위해 만들어진 협약이다.
○ SOLAS협약은 본문과 14개의 Chapter로 이루어져 있으며 1974.11.1. 채택되었고 1980.5.25. 발효되었다. 우리나라는 1981.3.31.일 발효되었다.

□ **위험물을 격리하여 보관·운송하는 이유는 무엇인가?**
○ 「위험물 선박운송기준 고시」에 있는 '포장위험물 상호간의 격리표'에 근거규정을 두고 있다.
○ 위험물 운송시 위험물 혼합보관으로 인한 상호 물질반응이 생기는 것을 방지하고자 위험물간 이격거리를 두거나 보관장소를 격리하는 것이다.
○ 대부분의 위험물은 이격거리와 보관장소 격리기준이 있으나 제9급 물질인

유해성물질은 어떠한 물질과 보관하여도 격리조건이 필요 없고 제1급 물질인 화약류는 제9급 물질을 제외하고는 대부분 격리조건이 필요하다.

□ **위험화물을 적입한 컨테이너의 선박 적재시 주의사항?**
○ 위험화물은 선하증권 또는 위험화물 적하목록에 구분하여 기재하고 있으며 선사 또는 선장의 허가를 얻은 후 선적하게 되며 하주는 위험화물 내용을 선사 또는 운송인에게 통지하여야 한다.
○ 검수원이 위험물을 검수시 위험물 표찰 및 표식에 주의해야 하며 UN No.를 반드시 확인하여 기재해야 한다.
○ 검수시 내품에 의해서 신체상 유해를 당할 수도 있으니 개인 안전장구 준비를 철저히 하고, 만약 어떤 문제가 발생이 되었을 때는 일항사 및 하주나 터미널 측에 즉시 알리거나 혹은 그 입회하에 조치를 취해야 한다.

□ **인화성 액체류와 인화성 고체류의 위험물 등급을 말하시오?**
○ 인화성 액체류(Flammable Liquids) : 제3급
○ 인화성 고체류(Flammable Solids) : 제4급(가연성 물질류)

□ **강재화물(Iron plate cargo)이란 무엇인가?**
○ 철재로 이루어진 균질한 재료를 말하며 포장형태에 따라 주괴, 편괴, 봉, 태봉형태로 포장된다.
1) 주괴(Ingot) : 벽돌모양형태의 강재
2) 편괴(Slab) : 평평하게 만든 강재
3) 봉(Bar) : 봉형태의 강재
4) 태봉(Billet) : 각봉, 환봉형태의 강재

□ **강재화물에 화표(Cargo mark)를 기록하는 방법?**
○ 강재에도 일반화물과 같이 규격, 수하주번호, 제품번호, 중량, 길이, 생산자명, 원산지명 등이 기록된다. 때에 따라서는 양하지 항구명과 수하주의 번호만 기록할 때도 있다.
1) 화물에 직접 새기는 방법
2) 종이에 인쇄하여 부착하는 방법

3) 화물을 페인트로 기록하는 방법 등이 있다.

□ 'CAR DOOR SIDE 3 POINTS SCRATCHED'의 적요의 의미는?
○ 차량 문짝 3 부분이 긁혔음'을 뜻하는 적요이다.

□ **차량 검수시 필수적으로 검수해야 하는 부분은 무엇인가?** ★[검수사]
○ 자가용승용차나 특수차량의 경우 고가품이기 때문에 아주 경미한 부분의 긁힌 상처까지도 상품의 가치와 연관되므로 파손부분을 상세하게 기록하여야 한다.
○ 그러므로 차량의 차체 손상·파손 및 부품도난여부에 대한 확인이 필수적이다.

□ **'Tier Flat', 'Tier Air Off' 및 'Punctured' 적요의 차이점을 구분 설명하시오?** ★[검수사]
1) Tier Flat : 타이어 공기가 빠진것
2) Tier Air Off : 적재를 위하여 타이어에 공기를 뺀 것
※ 차량적요중 '우측뒷 타이어 바람 빠짐'의 적요는 'Right Rear Tire Flat(또는 Air Off)로 표현가능하다.
3) Punctured : 타이어가 펑크(puncture)난 것
※ L.R Tire Punctured : 좌측 뒤(Left Rear) 타이어가 펑크 났음

□ **차량 검수시 타이어 부분은 어떻게 검수해야 하는가?** ★[검수사]
○ 타이어의 공기가 정상인지 빠져 있는지 여부(Tire Flat)
○ 타이어의 펑크여부(Punctured)

□ **'차량 이상 유무 보고서'란 무엇인가?** ★[검수사]
○ Automobile Inventory & Exception Report
○ 차량부품에 대한 명세와 차량의 제작회사, 제작년도, 차량의 형태(모델/타입/색상), 차량번호, 제작번호(serial no.), 소유주 성명, 주소 등이 기록된 서류로 차량은 선적이전에 작성된 차량이상유무보고서가 첨부되어 있다.

제3장. 컨테이너 화물 검수

□ 컨테이너 운송의 장단점을 설명하시오?

○ (장점) ① 생산지로부터 소비자까지 문전운송이 가능. ② 이동이 빠르고 화물의 파손, 좀도둑 피해 등이 감소. ③ 노무비와 포장비 절감효과. ④ 신속한 화물조작으로 운송기간 단축효과가 있음

○ (단점) ① 인프라를 갖추기 위한 많은 자본이 필요 ② 근본적으로 모든 화물을 컨테이너화 할 수 없는 약점이 있음 ③ 시스템을 갖추고 유지하는데 많은 노력과 투자가 필요하다. ④ 공 컨테이너 회수문제가 발생되고 일부 국가에서 내륙운송에 제한을 가하는 경우가 있음.

□ 컨테이너 운송의 특성을 설명하시오?

1) 하역비 절감
2) 안전수송
3) 포장비 절감
4) 보관료 절감
5) 문전서비스
6) 선하증권의 신속발행
7) 보험료 절감

□ 컨테이너 종류에 대해 설명하시오?   ★★★[감정사/검량사/검수사]

1) 드라이(Dry) Container : 일반잡화를 수송하는 가장 보편적인 컨테이너로 컨테이너의 대부분을 차지하고 있다. 전후 방향의 한쪽 끝에 2개의 Door가 있고 각각의 Door는 약 270도 개폐가 가능하다. 대상화물이 Dry Cargo이므로 Door의 주위에는 Neoprene(합성고무의 일종) 등으로 포장되어 있어 내장화물을 비, 바람으로부터 보호할 수 있다.

2) 냉동(Reefer) Container : 대형 컨테이너의 경우에는 보통 냉동기를 사용하여 적화에 대한 소정의 온도를 보존하는 냉각장치의 설비 방식에 따라 별치식(別置式) 냉동 컨테이너와 내장식 냉동 컨테이너의 두 종류로 분류된다.

3) 오픈 탑(Open Top) Container : 기계류, 철강제품, 판유리등 중량화물 수송에 적합한 컨테이너로서 천장을 개방 할 수 있도록 캔버스 덮개로 되어 있으며 적입(積入), 적출시(積出時)에는 크레인을 사용, 컨테이너 상부에서 하역을 할 수 있는 것이 특징이다.

4) 플랫 랙(Flat Rack) Container : Platform container라고도 하는데 dry container의 천장과 좌우 측벽(側壁)을 제거한 모양으로서 양단벽(兩端壁)까지도 떼었다 붙였다 할 수 있어 바닥과 네구석의 기둥만의 형태가 된다.

5) 탱크(Tank) Container : 액체화물의 해상수송용 용기.

6) 통풍(Ventilated) Container : 통풍을 요하는 화물을 컨테이너로 운송할 때 사용되는 컨테이너로 일반적인 컨테이너와 외견상 비슷하나 컨테이너 위쪽과 아래쪽에 구멍이 있어 환기가 될 수 있도록 고안되어 있다. 주로 커피등 농산물을 수송할 때 사용된다.

※ 이외에도 Solid Bulk CNTR(살적(撒積)화물용), Insulated CNTR(과일, 야채용 냉장화물선), Tiltainer(지붕, 벽이 개방된 화물용 컨테이너), Hide CNTR(생피(生皮) 운송용), Live Stock(Pen) CNTR(가축등 생동물운송용) 등이 있다.

□ **컨테이너를 구조재질에 의해 분류할 때 종류와 특징에 대해 설명하시오?**
★[검량사/검수사]

○ 컨테이너는 용도에 따라 다양한 재질로 만들어지고 있다. 크게 철제(steel) 컨테이너, 알루미늄(aluminium) 컨테이너, FRP(fiberglass reinforced plastics) 컨테이너로 구분된다.

1) 철재(Steel) 컨테이너 : 프레임(frame)과 판넬(panel)을 강재로 사용하여 전체를 전기용접에 의해서 제작되며 대부분의 컨테이너가 이에 해당한다. 제조원가가 저렴하지만 무겁고 녹슬기 쉬운 단점이 있다.

2) 알루미늄(Aluminium) 컨테이너 : 주로 냉장 또는 냉동용 컨테이너로 제작된다. 가벼운 편에 속하며 부식이 적다. 내구성과 유연성이 좋아 외부의 충격을 쉽게 흡수한다. 다만 제조원가가 비싼편에 속한다. 프레임을 전부 강재로 하고 판넬만 알루미늄으로 한 것과 프레임을 양끝만 강재로 하고 나머지는 전부 알루미늄 재질로 한 것이 있다.

3) FRP 컨테이너 : 내부용량이 크고 열전도율이 낮지만 무겁고 제조원가가 비싸다는 단점이 있다. 프레임은 강재이며 합판의 양면에 FRP를 코팅 또는 박판을 입힌 판넬로 만들어져 있다.

□ **컨테이너 취급주체에 의한 분류방식에 대해 설명하시오?**
1) Carrier loaded container(운송인 적하 컨테이너) : 운송인 또는 선박회사의 책임하에 화물을 적입한 후 봉인을 마친 상태의 컨테이너로서 주로 LCL 화물을 취급한다.
2) Shipper loaded container(하주 적하 컨테이너) : 단일 하주의 화물을 송하주가 개수, 상태에 대한 모든 책임을 질 것을 약속하는 형태로서 컨테이너에 적입, 봉인까지 완료하는 컨테이너로서 선하증권에도 표시하고 있다. FCL화물을 취급한다
※ Shipper는 하주(荷主, 貨主)이다. 운송인이나 선주로 해석하는 오류를 범해서는 안된다.

□ **TEU란 무엇인가?** ★[감정사/검수사]
○ Twenty-feet Equivalent Units, 20피트 컨테이너 1개를 나타내는 단위이다. 컨테이너 전용선의 적재용량을 나타내는 단위이기도 하다.
※ FEU : Forty-feet Equivalent Units, 40피트 컨테이너

□ **20ft와 40ft컨테이너 중량에 대해 설명하시오?**
○ 20ft : Tare 2,260kg + 최대적재중량(Max payload) 21,740kg
  = 24,000kg(최대총중량)
○ 40ft : Tare 3,740kg + 최대적재중량(Max payload) 26,740kg
  = 30,480kg(최대총중량)

□ **9피트 6인치 컨테이너를 무엇이라 하는가?** ★[감정사]
○ 일반적인 컨테이너의 높이는 8.5피트(8피트 6인치) 이고 높이가 9.5피트(9피트 6인치) 컨테이너를 '하이큐브 컨테이너'라 한다.

□ **20피트 컨테이너의 폭, 높이, 길이는 얼마인가?** ★[검수사]
○ 길이 (6,058mm)(20ft) × 폭 (2,438mm)(8ft) × 높이 (2,591mm)(8ft 6in)
※ 40피트 컨테이너 규격
  : 길이 (12,192mm)(40ft) × 폭 (2,438mm)(8ft) × 높이 (2,591mm)(8ft 6in)

□ ISO 규격 20피트 형 컨테이너 2개를 합한 실제길이와 ISO 규격 40피트 형 컨테이너 1개의 실제 길이를 비교했을 때 길이가 더 긴 것은 어느것인가?

○ 20ft를 단위변환 했을 때 6,096mm(1ft=30.48cm)이나 20피트 컨테이너의 실제길이는 6,058mm로 단위변환 길이보다 약간 작다.

○ 그러므로 40피트형 컨테이너가 더 길다.

※ 30ft는 9,125mm, 40ft는 12,192mm, 45ft는 13,716mm이다. 즉 20ft, 30ft는 실제길이가 단위변환 길이보다 약간 작다.

※ 현장에서는 40피트 컨테이너 1개 = 20피트 컨테이너 2개의 길이로 간주하고 있다.

□ 네기둥만 있는 운송용 컨테이너는 무엇인가?

○ Flat rack container

□ 컨테이너에 부착한 표시판의 종류?   ★[감정사]

○ 컨테이너 번호(영어문자+숫자 등 11자리, ex) ABCU 123 456 7)

○ 컨테이너 사이즈와 타입코드(ex. 42G0 : 길이 40ft, 높이 8'6", General)

○ 세관승인 표찰(CCC : Customs Convention on Container 협약 규정)

○ CSC안전승인 표찰(CSC : Container Safety Convention의 약어로 International Convention for Safe Containers, 컨테이너 안전을 위한 국제협약)

○ 컨테이너 중량표시(Tare, Max. pay Load, Max. Gross Weight 등이다.

□ 컨테이너 번호에 대해서 설명하시오?   ★★[감정사/검수사]

○ 컨테이너 번호는 총11개의 문자와 숫자로 이루어져 있으며 문자 4개, 숫자 7개로 구성되어 있다.

○ 소유자 표시 : 소유주의 특징을 표시한 첫 번째에서 세 번째까지의 3자리의 영문자와 "U"를 네 번째 자리로 하여 전체 4자리의 영문자로 구성된다.

○ 컨테이너 일련번호 : 3개의 숫자가 두 개의 그룹으로 표시되어 있다. 이 번호는 컨테이너 제작업자에게 컨테이너 제작을 의뢰할 때 컨테이너 소유주가 선택하게 된다. 보통 소유주는 이전에 구매했던 컨테이너의 일련번호 다음 번호를 선택한다.

○ 체크 디지트(check digit) : 맨 마지막 11번째에 두며, 앞 10자리의 영문자와 숫자의 잘못이 없는가를 검산하기 위하여 사용한다.

ABCU 123 4567
소유자표시(3) 고정(1)　　Serial No.(6)　　Check digit(1)

□ 길이 40피트, 높이 8피트 6인치, 폭 2,438mm, 일반용도 컨테이너(표준형)에 해당하는 컨테이너의 규격기호는 어떻게 되는가?
○ 42G0(길이 40피트 "4", 높이 8피트 6인치 "2", 폭 2,438mm, 일반용도 컨테이너(표준형) "G0")이다.

길이(Length)		높이(High)		타입(Type)	
2	20ft	2	8ft 6in	G1	General Purpose Container
4	40ft	5	9ft 6in	R1	Refrigerated Container
L	45ft			U1	Open Top Container
M	48ft			P1	Platform Container
				T1	Tank Container

□ **CCC협약의 컨테이너 세관승인표찰에 기록되는 내용은?** 　　★[감정사]
○ CCC협약(컨테이너에 관한 관세협약, Customs Convention on Container)은 1956년 유럽경제위원회가 채택하고 우리나라가 1981년에 가입한 컨테이너 운송에 관한 국제협약이다.
○ 컨테이너가 국경을 통과할 때 관세 및 통관방법 등을 정하고 있다. 주요내용으로는 ① 일시적으로 수입된 컨테이너를 적재 수출조건으로 면세 ② 국제보세운송에 있어서 체약국 정부 세관의 봉인 존중 등이다.
○ 세관승인표찰에는 3가지가 기록되는데 ① 승인을 받은 국가명과 승인번호 및 승인년도 ② 컨테이너 형태 ③ 제조업자 식별번호 이다
☞ 23년 감정사 시험에 「컨테이너 관세협약이 무엇이냐?」는 질문이 출제되었다.

□ CSC 안전승인 표찰에 표기되는 내용은 무엇인가?   ★[감정사/검량사]

○ CSC란 Container Safety Convention의 약어로 컨테이너 안전을 위한 국제협약(International Convention for Safe Containers)를 말한다.

○ CSC 안전승인 표찰에 표기되는 내용들은

1) 일련코드(승인국가, 승인번호 그리고 승인년도)

2) 제조일자

3) 제조업자의 컨테이너 식별번호

4) 최대 총중량

5) 허용안전무게

6) 적화 랙킹 테스트와 컨테이너 방벽의 적화 및 보관 길이

7) 컨테이너 재검사 날짜 등이다.

□ 컨테이너 화물의 적요중 '움푹패이다'. '우그러지다'를 나타내는 표현은?

○ Dented, Depressed

※ 컨테이너의 위쪽과 옆 판넬이 우그러지고 눌림이 있다 : Top side and side panel dented and depressed.

□ Maximum payload?   ★[검수사]

○ Max. Pay Load(최대적재중량)는 "최대총중량(Maximum Gross Weight) – 빈컨테이너 무게(Tare Weight)"

  * 최대총중량(Maximum Gross Weight)은 빈컨테이너 무게(Tare Weight)와 컨네이너에 적재할 수 있는 화물(Maximum Payload)의 합을 나타낸다.

□ Tare weight란 무엇인지 구체적으로 설명하시오?   ★[검수사]

○ Tare weight(자중). 즉 빈컨테이너의 무게를 말한다.

(예제) 20ft Dry Container의 Tare Weight가 2.26톤이며, Maximum Gross Weight가 24톤일 때, Maximum Payload는 얼마인가 ?
☞ Maximum Gross Weight(24톤) – Tare weight(2.26톤) = 21.74톤

□ Unobstructed Capacity란 무엇인가?

○ 내면용적이라고 한다.

○ 내부치수로서 결정되는 용적이다

※ 컨테이너 용어 및 각부명칭

구 분	내 용
Tare Weight (자체중량)	빈 컨테이너 무게
Maximum Gross Weight (최대총중량)	자체중량 + 최대적재중량
Maximum Pay Load (최대적재중량)	최대총중량 - 자체중량
Overall External Dimension (외면(외부) 치수)	컨테이너 외부의 높이, 폭, 길이에 항구적인 부속품을 포함한 최대치
Internal Dimension (내면(내부) 치수)	높이는 Roof 하면에서 Floor 상면까지의 치수, 폭은 Side Lining의 내면간 치수, 길이는 Door Sheet 내면에서 앞벽 내장까지의 치수
Unobstructed Capacity (내면용적)	내부치수로서 결정되는 용적
Dimension of Door Opening (문 개구부 치수)	문의 개구부의 최소높이 및 최소폭의 치수

□ 다음의 컨테이너의 용어에 대해 설명하시오?

○ 외부치수(Overall External Dimension) : 컨테이너 외부의 높이, 폭, 길이에 항구적인 부속품을 포함한 최대치

○ 내부치수(Internal Dimension) : 높이는 Roof 하면에서 Floor 상면까지의 치수, 폭은 Side Lining의 내면간 치수, 길이는 Door Sheet 내면에서 앞벽 내장까지의 치수

○ 내부용적(Unobstructed Capacity) : 내부치수로서 결정되는 용적

○ 문의 개구부 치수(Dimension of Door Opening) : 문의 개구부의 최소높이 및 최소폭의 치수

□ **베이플랜의 6자리 숫자에 대해 설명하고 컨테이너 적재 위치가 09-04-10 이라면 이 컨테이너의 위치는?** ★★★[감정사/검량사/검수사]

○ 컨테이너선에서의 적재위치를 잘 알 수 있도록 3차원 입체배열로서 일정위치를 나타내는 Numeric system을 사용한다. 즉 컨테이너 위치는 Bay No, Row No, Tier No로 구분된 6자리의 Cell No로 표시된다.

　　* '베로티'로 암기

○ 09-04-10은 20ft 컨테이너가 베이 09, 열 04(중심선으로부터 좌현 2번째), 그리고 단 10(홀드의 밑바닥으로부터 5번째)를 나타낸다.

　　* (bay) "짝사홀이" 짝수이면 40ft, 홀수이면 20ft, (row) "좌짝우홀", 짝수이면 좌현, 홀수이면 우현, (tier) 82이상이면 갑판, 02로 시작되면 hold 이다.

☞ 「20ft 컨테이너인 경우 베이 넘버가 짝수인가 홀수인가?」 이런 유형의 질문이 있을 수 있다.

□ **컨테이너의 고박방법에 대해 설명하시오?** ★★★[감정사/검량사]

○ 컨테이너 고박방법에는 시큐어링(Securing)과 라싱(Lashing)을 하는 방법이 있는데 Securing은 갑판적 컨테이너의 수평이동을 방지하고, Lashing은 컨테이너가 전도되는 것을 방지한다.

○ 컨테이너선에는 컨테이너를 적재하기 위해 화물창에는 셀 가이드(cell guide)가 설치되어 있고 갑판에는 라싱 브릿지(lashing bridge)가 설치되어 있다.

| [Cell Guide] | [Lashing Bridge] |

○ 화물창에 내적된 컨테이너는 셀 가이드의 구조에 의하여 수평이동이 억제되므로 시큐어링과 라싱이 필요 없으며 갑판 및 해치커버위에 적재된 컨테이너는 이동의 위험이 크므로 이를 안정되게 운송하기 위해 시큐어링과 라싱을 하게 된다.

1) 시큐어링 방법 및 사용되는 장비

① 갑판면과 갑판적한 최하단 컨테이너의 코너피팅과의 사이는 수평 및 수직 방향으로 시큐어링 한다.(Flush socket + Twist rock)

② 갑판적한 컨테이너 각단의 코너피팅 사이는 수평 및 수직방향으로 시큐어링 한다.(Twist rock + Vertical stacker)

③ 갑판적한 최상단 컨테이너와 인접한 열의 컨테이너를 연결한다.
  (Bridge fittings 또는 Bridge connector)

* (Flush) Socket : 갑판적 컨테이너용으로 해치커버 등에 고정되어 있으며, 트위스트락을 꽂아서 컨테이너를 고박시키게 되어 있으며 싱글타입과 더블타입의 두가지가 있다.

* 트위스트 락(Twist lock) : 해치커버 등의 갑판과 컨테이너 사이, 또는 컨테이너와 컨테이너 사이를 수직방향으로 고정한다.

* 브릿지 피팅(Bridge fittings) : 선박에 컨테이너를 선적을 하고 바로 옆의 컨테이너끼리 일체화를 시키고 운송 중 발생할 수 있는 흔들림이나, 태풍, 파도 등의 외부의 힘을 버텨내기 위하여 외부에서 고정을 하는 역할을 한다. 캐스팅 상하 양방향으로 체결하는 트위스트 락(Twist lock)에 비해 수평연결의 차이점이 있다.

* 버티컬 스택커(Vertical stacker) : 브릿지 피팅(Bridge fittings)이 최상단 컨테이너의 좌우 컨테이너와 수평연결하는 장비라고 하면 버티컬 스택커는 최상단과 최하단을 제외한 나머지 컨테이너끼리 수평연결하는 장비이다.

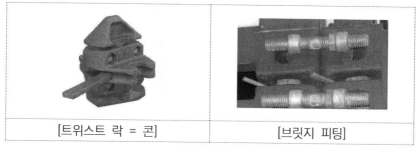

| [트위스트 락 = 콘] | [브릿지 피팅] |

2) 라싱 방법 및 사용되는 장비

① Eye plate : 해치커버 등에 고정하여 턴 버클(Turn buckle)을 연결시키게 되며 eye가 1개인 것과 2개~5개인 것도 있다.

② 라싱 로드(Lashing rod) : 컨테이너의 코너피팅과 턴버클을 연결한다.

③ 턴 버클(Turn buckle) : 해치커버 또는 갑판상에 있는 Eye plate와 Lashing Rod를 연결하여 고정시킨다.

※ 라싱로드와 턴 버클은 결국 컨테이너의 대각선 방향으로 하나로 연결되어

라싱된다(컨테이너 코너피팅+라싱로드+턴버클+아이 플레이트 순이다)

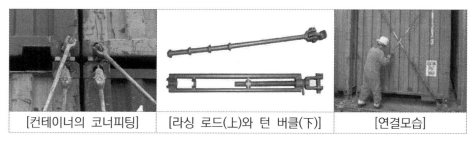

| [컨테이너의 코너피팅] | [라싱 로드(上)와 턴 버클(下)] | [연결모습] |

☞ 「컨테이너의 시큐어링 시스템에 대해서 설명하시오?」, 「컨테이너 라싱작업
할 때 사용되는 도구명을 영어용어로 설명하시오?」「컨테이너 고박방법에
대해서 설명하시오?」 등 다양하게 물어볼 수 있다. 특히 고박방법에 대해서
물어보는 경우 컨테이너 내부화물 고박인지? 외부고박인지? 시큐어링을 물
어보는 건지 라싱을 물어보는 건지를 면접관에게 확실하게 되물어보고 답하
는 것이 좋은방법이다.

□ 컨테이너의 코너피팅과 턴버클을 연결하는 장비?
○ Lashing Bar

□ 브릿지 피팅이란 무엇인가?
○ Bridge fittings
○ 선박에 컨테이너를 선적을 하고 바로 옆의 컨테이너끼리 일체화를 시키고
운송중 발생할 수 있는 흔들림이나, 태풍, 파도 등의 외부의 힘을 버텨내기
위하여 외부에서 고정을 하는 역할을 한다.
○ '브릿지 피팅'이 갑판에 적재한 컨테이너와 인접한 열의 같은 높이의 컨테
이너를 연결하는 것에 반해 상하방향으로 체결하는 것을 '트위스트 락
(Twist lock)'이라 한다.

□ 하역방식에 대해 설명하시오?   ★★★[감정사/검수사]
○ LO/LO 방식(LIFT ON/LIFT OFF) : 화물을 선적·양하 할때에는 해치를 통
하는 수직하역방법으로 윈치 또는 크레인을 이용한다.
○ RO/RO 방식(ROLL ON/ROLL OFF) : 화물을 선적·양하 할때에는 본선의
앞·옆·뒤쪽에 설치되어 있는 부두측면(ramp way)를 통하여 트랙터, 트럭,

새시, 포크리프트를 이용하여 작업하는 수평하역 방식이다.

○ DO/DO 방식(DRIVE ON/DRIVE OFF) : ROLL ON ROLL OFF System 과 동일한 하역형태로서 카훼리에 여객(운전자)과 차량이 함께 승선한다.

○ FO/FO 방식(FLOAT ON/FLOAT OFF) : LASH선, SEA CARRIER선, SEA-Barge Clipper선 등 바지운송선을 이용한 하역방식이다.

☞ 「하역방식중 RO/RO와 FO/FO를 비교하여 설명하시오?」, 「RO-RO, LO-LO 의 풀네임」, 「RO/RO 방식에 대해 설명하시오」 라는 문제가 출제된 바 있다.

□ **LO/LO 방식에 대해 설명하시오?**　　　　　★[감정사/검수사]

○ Lift On / Lift Off System의 약자

○ 컨테이너 전용선을 하역 방식을 기준으로서 분류하면 2종류로 분류된다. LO/LO System과 RO/RO System이다. 본선 또는 육상의 크레인을 사용 해서 컨테이너를 본선에 수직으로 적재하는 방식을 LO/LO System이라 부 르고 수직하역 방식(Vertical Type)이라고도 부르고 있다.

□ **RO/RO System?**　　　　　　　　　　★[감정사/검수사]

○ Roll On / Roll Off System의 약자

○ 화물을 적재한 트럭이나 트레일러는 안벽(부두)에서 그 화물을 풀지 않고 화물을 실은 그대로 배나 안벽에 설치된 다리(경사진 교판)를 건너 배의 측 면(배 옆)이나 선미(배 뒷부분)에 설치된 램프(Ramp)를 통해서 선내의 선창 에 들어가 소정의 위치에 정지해서 적부를(짐을 풀고) 하고 빈 차만 다시 나오는 방식을 말한다.

□ **FAK란 무엇인가?**　　　　　　　　　　★[검수사]

○ Freight All Kind Rate, 품목 무차별 운임이라고 부른다.

○ 화물의 형태, 성질, 가격 등과 관계없이 화물의 중량, 용적 또는 1개당에 대해서 똑같은 운임율을 적용하는 방식이다.

○ 컨테이너 운송에 있어서 재래형 정기선과 다르며 화물의 성격에 따른 적부 상의 차는 크지 않고 가격 면에 있어서나 도난 또는 손상의 위험이 저하하 므로, 품목별 운임율을 설정하는 근거는 적당하다고 볼 수가 없다는 주장도 있다.

□ 컨테이너의 ISO 규격에 대해 설명하시오?

○ International Organization for Standardization, 국제 표준화 기구

1) ISO 668 Freight containers – Classification, dimensions and ratings (화물컨테이너 - 분류, 치수, 등급) : 복합운송에 사용되는 컨테이너를 분류하고 크기, 치수 및 사양을 표준화한 규격

2) ISO 6346 Freight containers – Coding, identification and marking (화물컨테이너 - 코딩, 식별 및 표시) : 복합운송에 사용되는 컨테이너의 코딩, 식별 및 표시를 표준화한 규격

□ 컨테이너선의 종류와 분류방식을 설명하시오?　　　　　★[검수사]

○ 컨테이너화물의 운송에 적합하도록 설계된 구조를 갖춘 고속대형화물선을 말한다. 컨테이너선은 다음과 같이 분류된다.

1) Full container ship(專用船) : 선창을 컨테이너의 적재를 위하여 전용화한 선박을 말한다. 일반적으로 LO/LO선에서는 셀구조를 채용하고 갑판상에도 상갑판을 포함한 전선창에 컨테이너 및 트레일러를 함께 적재할 수 있도록 설계되어 있다.
   ※ 선창에는 cell guide, 갑판에는 lashing bridge가 설치되어 있다.

2) Semi container ship(分載型船) : 재래선 선창에 컨테이너 적재를 위한 셀 가이드를 설치 개조하고 갑판위에도 적재할 수 있도록 설비한 선박으로서 일반화물을 함께 적재하기도 한다. 선상에 기중기가 설치되어 있다.

3) Convertible container ship(Conventional ship, 乘用型船) : 재래 화물선에 소수의 컨테이너를 적재하여 수송하는 방법으로 일반잡화와 컨테이너를 혼용하여 적재할 수 있도록 설비된 선박이다.

4) LASH(Lighter Aboard Ship, 부선운반선) : 컨테이너를 적재한 부선을 그대로 선적할수 있는 특수구조화물선

☞ 「분재형선이 무엇인가?」라고 출제된바 있다.

□ 피더선 이란 무엇인가?

○ feeder ship, feeder container ship이라 한다.

○ 대형 컨테이너 선박이 기항하는 중추항만과 인근 중소형 항만간에 컨테이너를 수송하는 피더서비스에 사용되는 중소형 컨테이너 선박을 뜻한다.

○ 모선(Mother Container Vessel)은 Hub Port와 Hub Port 또는 원거리 운송 서비스를 제공하는 규모가 상당한 선박이라고 하면 피더선은 허브항에서 지역항으로 운송을 담당하는 소규모 선박으로서 바지선 혹은 중소형 컨테이너 선박이 될 수 있다.

  * 운반용량이 100~3,000TEU를 피더선이라 한다. 100~2,000TEU를 소형피더선, 2,000~3,000TEU를 대형피더선으로 구분한다.

□ Break Bulk Cargo는 무엇인가?
○ break bulk 화물이란 두가지 의미를 가지고 있다.
1) bulk화물을 어떤 용기 또는 포장재 즉, drum, crate, skid 등으로 포장된 화물
2) 크기로 인해 컨테이너 같은 용기에 수납할 수 없는 화물. 특히 컨테이너화 되지 않고 재래정기선에 의하여 운송되는 화물을 말함

  * OOG (Out of Gauge) 화물처럼 40ft flat rack과 같은 컨테이너로 선적 할 정도의 크기가 아닌 훨씬 큰 화물을 말한다.

□ Container Service Charge는 무엇인가?
○ C.F.S 화물에 부과되는 것으로 선박회사에서 수취되며 LCL 화물에 대해 징수하는 요금이다.

□ Detention Charge란?
○ 컨테이너를 대여 받았을 경우 일정한 허용기간(Free Time)내에 반환하지 않으면 차용주는 비용을 징수당하는 금액을 말한다.

□ 컨테이너 LCL화물을 넣거나 빼는 것을 무엇이라 하는가?
1) 적입(stuffing, vanning)
2) 적출(unstuffing, devanning)
☞ 「용어를 영어로 말하시오?」라고 물어 볼 수 있다.

□ CFS에 대해서 설명하시오?　　　　　　　　★★★[감정사/검량사/검수사]
○ Container Freight Station의 약자이며 소량 컨테이너 화물 집합소이다. LCL(Less than Container Load Cargo) 화물을 모아서 하나의 컨테이너로 구성하기 위한 장소이다.
○ 수출의 경우 컨테이너 1개에 만재하지 못하는 소량화물을 지정된 장소에서 집결하고 이를 양하지별로 구분해서 컨테이너에 넣어야 한다.(적입)
○ 수입의 경우에는 혼재화물을 컨테이너에서 꺼내어 수하인마다 분할하여 인도하여야 한다.(적출) 선박회사측이 이런 작업을 하는 장소를 CFS라 부른다.
○ CFS 위치는 선박회사가 지정하는 장소로 되어 있으며 우리나라의 경우 세관의 허가를 받은 지정된 장소이어야 한다.

□ CFS에서 이루어지는 구체적인 절차에 대해 설명하고 여기에서 취급하는 화물은?　　　　　　　　　　　　　　★★[감정사/검수사]
○ CFS에서 이루어지는 화물은 LCL(Less than container load)화물로써 하나의 컨테이너에 화주 한 명의 물건으로는 꽉 채울 수가 없어 여러 화주의 물건들이 혼합해서 적재되는 것을 말한다.
　* 수출은 적입, 수입화물인 경우에는 적출
○ 이러한 LCL은 CFS(Container Freight Station)에서 여러 화주의 화물을 모아 컨테이너에 싣는 작업을 진행한 후 선적하는 과정을 거치게 되며 LCL의 경우 CFS에서 화물을 모아 싣는 작업이 이뤄지기 때문에 별도의 비용(container service charge)이 추가적으로 발생하게 된다.

□ FCL과 LCL에 대해 설명하시오?　　　　　　★★[감정사/검량사/검수사]
○ 컨테이너로 운송되는 화물은 운송형태에 따라 FCL(Full container load cargo)과 LCL(Less than container load cargo)로 분류
○ FCL은 하나의 컨테이너에 단일 화주의 화물이 적입되어 운송되는 형태로서 일반적으로 화주가 직접 공장 또는 창고에서 적입을 완료하여 CY로 반입하는 형태이다.(줄여서 CL화물이라고도 한다)
○ LCL은 하나의 컨테이너에 여러 화주의 물건들이 혼합되어 적재되는 것을 말한다. 이러한 작업을 하는 곳이 CFS(Container Freight Station)이다.

□ 컨테이너 적입, 적출시 주의사항 또는 발생할 수 있는 사고는?

★[검수사]

○ 적입(Vanning, Stuffing) 작업이란 컨테이너에 화물을 적재하는 것을 말하며

1) 중량화물을 적입할 때에 화물의 무게가 한쪽으로 집중하는 것을 피하며 화물의 충격을 방지하기 위해 던네지 등을 깔아야 한다.

2) 또한 화물의 성질(위험화물, 발한성화물, 조악화물 등)에 따라 적입에 주의해야 한다.

3) 여러 화물을 혼재할 때에 중량화물과 포장이 견고한 화물을 아래 부분에, 포장이 약한 것과 가벼운 화물은 윗부분에 적재하여 화물의 손상 예방에 최선을 다해야 한다.

○ 적출(Devanning, Unstuffing) 작업이란 수입된 양하 컨테이너 중에서 LCL 컨테이너 또는 지정된 컨테이너를 CFS에서 꺼내는 작업으로서 적출된 화물을 수하주 단위로 인수자에게 인도하는 것이다.

1) 컨테이너 문을 열때는 짐이 무너지기 쉽기 때문에 주의해야하며 문이 열리지 않을 때에는 평탄한 장소에 옮기거나 문쪽을 높이 달아 올려 화물 탈락 사고에 대비한다.

□ 컨테이너 화물의 육상운송을 위한 적입절차에 대해 설명하시오?

★[감정사]

○ 컨테이너로 운송되는 화물은 운송형태에 따라 FCL(Full Container Load Cargo)과 LCL(Less than Container Load Cargo)로 분류된다.

○ LCL화물을 수취하여 컨테이너에 혼재하는 장소를 CFS(Container Freight Station)라고 부르며 목적지에 도착된 때에도 CFS에서 화물을 컨테이너에서 꺼내어 수화주에게 인도한다. 따라서 인도서류도 FCL과 LCL에 따라 다르다.

○ LCL은 하나의 컨테이너에 화주 한 명의 물건으로는 꽉 채울 수가 없어 여러 화주의 물건들이 혼합해서 적재되는 것을 말한다. 이러한 LCL은 주로 CFS에서 여러 화주의 화물을 모아 컨테이너에 싣는 작업을 진행한 후 선적하는 과정을 거치게 되며 LCL의 경우 CFS에서 화물을 모아 싣는 작업이 이뤄지기 때문에 별도의 비용이 추가적으로 발생하게 된다.

  * 수입화물의 경우 컨테이너를 개방하여 혼재된 화물을 개별 수하인에게 전달하기 위한 적출과정을 거친다.

○ FCL은 하나의 컨테이너에 단일화주의 화물이 적입되어 운송되는 형태로서 일반적으로 화주가 직접 공장 또는 창고에서 적입을 완료하여 터미널 내의 컨테이너 야적장(CY)에 반입한다.

□ **컨테이너 내적표(CLP)는 무엇인가?**

○ Container Load Plan

○ 컨테이너에 채워진 화물의 명세나 인도방식을 적은 표이다. 컨테이너 1개마다 당해 컨테이너에 적재된 화물에 관한 일체의 정보를 기재한 서류이다.

※ 컨테이너에 화물적입(Vanning)이 완료되면 검수사에 의해 작성된 적입검수표와 부두수취증에 의해 각 컨테이너별로 CLP를 작성하여 선사 또는 화주에게 제출한다

□ **컨테이너 LCL화물의 적출(Devanning) 작업후 작성하는 검수서류의 종류는?**

1) 적출검수표

2) 화물 손상(이상유무) 보고서(Cargo exception report)

3) 화물 적출목록

□ **CFS에서 컨테이너 적출작업시 조치사항에 대해 말하시오?**

1) 선박회사나 화주로부터 관련 서류를 입수한다.

2) 컨테이너 번호를 확인한다.

3) 봉인번호의 정확성과 잠금장치 상태를 확인하여 기록한다.

4) 화물개수의 과부족이 생길 경우 즉시 수석검수사에게 보고하고 재검수를 하여야 하며 화물의 이상유무를 적하목록, B/L사본 등과 대조 확인하며 이상이 있을 경우 즉시 선박회사에 보고한다.

□ **수화(輸貨)목록이란 무엇인가?**

○ 선박회사가 수출상에게서 받아 수입상에게 운송하는 화물의 목록

○ 수출화물을 검수할 때는 먼저 선박회사에서 수화목록을 수령하고, 그 화물이 CFS에 도착할 때 부두수취증과 수출허가서를 확인하여 화물의 개수와 기호를 대조 확인한다.

□ Inland Depot(내륙기지) 이란 무엇인가?
○ 컨테이너 대상 화물에 따라 능률적으로 수송하기 위해 부두 지구 이외의 내륙 지방의 중요 공업 단지 주변에 설치된 컨테이너 집적 장소를 말한다.
○ 컨테이너의 배정, 컨테이너 Vanning, Devanning 등의 기능을 가지고 있다.
○ Inland Depot는 ICD라고도 하는데 'Inland Container Depot' 또는 'Inland Clearance Depot'(내륙통관기지) 라고도 하는데 후자는 엄밀하게 말하면 검역·통관이 가능한 기지를 일컫는 단어로 의왕과 양산의 컨테이너 기지가 전형적인 ICD이다. 둘 다 혼용하여 쓰이는 용어이다.

□ Equipment Interchange Agreement 란 무엇인가?
○ 기기 상호 교환 협정
○ 운송인 간에 컨테이너, 트레일러 등의 운송기구의 권리, 의무를 계승하여 상호간의 융통하고 사용하기 위해 또는 일관수송을 행하기 위한 협정이며 동종의 운송인간 또는 이종의 운송인간에 체결한다.
○ 선박회사는 내륙부에서 항까지의 빈 컨테이너의 반송료를 부담하지 않는 대신에 철도, 트럭업자는 내륙에 항까지의 반환을 하지 않는 한 빈 컨테이너를 내국화물의 수송에 이용되는 등의 이점을 얻을 수가 있다.

□ LCL Cargo와 LTL Cargo에 대해 설명하시오?
○ LCL Cargo : Less than Container Load Cargo의 약자, 컨테이너 1개에 가득 차지 않는 작은 화물을 말한다. LCL Cargo는 CFS에 집적되어 선박회사에서 혼재하거나 혼재업자에 의해 컨테이너화 된다.
○ LTL Cargo : Less than Truck(or Trailer) Load Cargo의 약자, LCL Cargo와 같은 의미이며, 트럭 또는 트레일러에 만재하는데 도달하지 않는 소형화물을 말한다.

□ Maintenance Shop이란?
○ Repair Shop이라고도 한다.
○ 컨테이너 뿐만 아니라 컨테이너 취급에 필요한 모든 기기의 검사, 보수, 수리, 유지 등을 정하는 작업장이다.

□ 컨테이너의 도로수송 방식과 철도수송방식에 대해 설명하시오?

○ 도로수송 방식으로는 1) Full 트레일러(전·후에 바퀴가 있음)와 2) Semi 트레일러(앞 바퀴대신 받침대가 있음)방식이 있다.

○ 철도수송 방식으로는

 1) TOFC(Trailer On Flat Car) 방식 : 컨테이너를 실은 트레일러 채로 철도에 적재하는 운송방식이다.

  ① Piggy-back 방식 : 트럭을 그대로 싣거나 세미 트레일러를 실어 자동차의 기동력과 철도의 대량수송을 결부시킨 방식(돼지 등에 돼지새끼가 올라타 있는 형상과 같다고 해서 붙여진 명칭)

  ② Kangaroo 방식 : 트레일러 바퀴와 화차에 접지되는 부분을 경사진 요철 형태로 만들어 적재높이가 낮아지도록 하여 운송하는 방식.

 2) COFC(Container On Flat Car) 방식 : 컨테이너를 트레일러와 분리하여 철도의 화차대, 즉 컨테이너 전용화차에 적재하여 수송하는 방식.

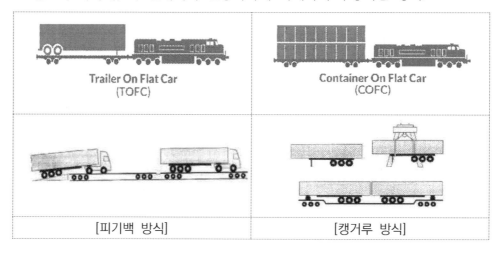

Trailer On Flat Car (TOFC)	Container On Flat Car (COFC)
[피기백 방식]	[캥거루 방식]

□ Piggyback System을 설명하시오?

○ 철도의 차륜에 컨테이너를 적재한 트레일러 그대로 탑재해서 운송하는 방식이며 TOFC운송이라고도 한다. 트레일러에 적입된 화물을 화주의 창고에서 옮겨 싣고 출발역까지 운송해서 출발역에서 도착역까지는 철도로서 수송하며, 도착역에서 수화주의 창고까지 배달하는 방식으로서 철도에 의한 신속하고 정확한 장거리 수송의 이점과 자동차에 의한 집배송의 이점을 결합한 철도와 자동차의 복합 운송이다.

□ 화물총중량 검증제도(VGM)에 대해 설명하시오?

○ Verified Gross Mass.

○ 컨테이너 중량검증 관련 규정은 해상화물 운송에 있어 정확한 수출 컨테이너 중량측정의 필요성이 제기되면서 IMO에서 2014년 SOLAS를 개정하여 2016.7.1.부터 시행되고 있다.

○ 이 규제에 따라 화주는 컨테이너에 화물을 적재하여 운송하는 경우 승인된 중량측정소에서 적재된 컨테이너의 중량측정 등의 방법으로 화물중량을 검증하여 선사 및 터미널에 제공해야 하는 제도이다.

○ VGM이란 화물의 무게와 화물의 컨테이너 적재를 위해 사용되는 포장재와 고박장치, 그리고 컨테이너 자체의 무게를 모두 합산한 중량을 의미한다.

※ Weigh-bridge : 차량무게 검사기기(계근대)

□ CIP란 무엇인가?

○ Container Inspection Program, 수입 위험물 컨테이너 점검제도

○ 국제해상위험물규칙(IMDG)등의 국제기준과 국내의 위험물 안전관리법에 따라 컨테이너에 적재된 해상운송위험물이 안전하게 적재되고 취급되는지를 점검하고 시정하는 제도이다

○ 1970년대 이후 컨테이너 해상운송의 빠른 증가와 함께 위험물이 적재된 컨테이너의 운송 또한 크게 증가하여 위험물 컨테이너의 안전한 운송에 관한 국제적 논의가 진행되어 IMO는 각 회원국에게 CIP 제도 시행을 강력히 촉구하여 우리나라는 2002년부터 국내에 수입 또는 국내항에서 환적되는 위험물컨테이너에 대해 CIP를 시행하고 있다.

○ 주요 점검사항으로는

1) 선적서류와 컨테이너 적재 위험물의 일치 여부

2) 컨테이너 안전승인판(CSC 승인판) 확인

3) 컨테이너 자체 손상 여부 확인

4) 위험성을 표시하는 표찰의 부착 및 적정여부

5) 위험물 용기의 형식승인 및 검사여부

6) 적재방법 및 고박의 적정여부 등

□ 트렌스퍼 크레인 (T/C)의 이동(주행)방식에 대해 설명하시오?★[검수사]
○ 트랜스퍼 크레인은 이동(주행)방식에 따라서 2가지로 구분한다.
1) RTGC(Rubber tired gantry crane) : 타이어 방식
2) RMGC(Rail mounted gantry crane) : 레일 방식

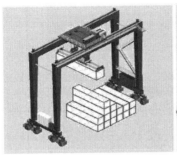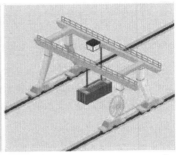

RTGC(Rubber Tired Gantry Crane)   RMGC(Rail Mounted Gantry Crane)

□ RMQC에 대해 설명하시오?   ★[검수사]
○ Rail Mounted Quayside Crane
○ 컨테이너 크레인의 주행방식으로 부두의 안벽에 설치되어 에이프런(apron)
에서 선박과 평행하게 주행하는 방식이다.

□ 컨테이너 크레인(C/C)과 트랜스퍼 크레인(T/C)의 차이점은? ★[감정사]
○ C/C는 부두(에이프런)에서 선박에 컨테이너를 적하나 양하시 작업에 사용
하는 크레인이고 T/C는 야드(C/Y)내에서 트레일러나 새시 등에 상하차 하
는 크레인
※ 컨테이너 크레인 = 포트테이너

□ OHBC에 대해 설명하시오?
○ Over Head Bridge Crane
○ 야드에 교량형식의 구조물에 크레인을 설치하여 컨테이너를 양적하하는 장비

□ 육상의 하역설비를 설명하시오?   ★[검수사]
1) 수평 인입식 크레인(LLC), 2) 브릿지 타입 크레인(BTC), 3) 연속 하역기기
(CSU), 4) 컨테이너 크레인(C/C)(=갠트리크레인), 5) 스태커-리클레이머

(S/R), 6) 벨트 컨베이어

※ (LLC) Level Luffing Crane, (CSU) Continuous Ship Unloader

☞ 23년 시험에서 「하역장비 3가지 이상 말하시오」라고 출제된바 있다.

□ 이동형 컨테이너 하역장비에 대해 설명하시오?

1) 리치스택커(reach stacker), 2) 스트래들 캐리어(straddle carrier)

3) 탑 핸들러(top handler)

[Reach stacker]　　　　[Straddle carrier]　　　　[Top handler]

□ 쉽테이너(Shiptainer)는 무엇인가?

○ 컨테이너용 크레인을 본선에 설치한 것을 말함

○ 일반적으로 선박 교형 주행 크레인은 육상의 컨테이너 전용 갠트리 크레인을 포트테이너(Port-tainer)라 부르는 것과 비교하여 쉽테이너(Ship-tainer)라 하기도 하며, 갑판 위의 선수에서 선미쪽으로 양쪽 현에 레일을 깔고 그 위를 크레인이 움직이면서 작업 할 수가 있는 크레인을 지칭한다.

□ 캔트리 크레인에서 SWL은 무엇을 말하는가?　　　　★[검수사]

○ 안전사용하중(=제한하중)이며 Safety Working Load

□ 선박안전법령상 데릭형 하역설비의 제한하중이 40톤일 때, 하중시험의 시험하중과 데릭 붐의 수평면에 대한 각도는?

○ 45톤, 25도 이다.

※ 제한하중이 10톤 이하의 경우 붐의 앙각을 15°, 10톤 초과의 경우 붐의 앙각을 25°로 하여 정상작동 상태 확인한다.

제한하중	시험하중
20톤 미만	제한하중의 1.25배의 하중
20톤 이상 ~ 50톤 미만	제한하중에 5톤을 가한 하중
50톤 이상 ~ 100톤 미만	제한하중에 1.1배의 하중
100톤 이상	해양수산부장관이 적당하다고 인정하는 하중

□ **컨테이너 터미널의 시설의 종류와 기능에 대해 설명하시오?**

○ 컨테이너 터미널에 설치된 시설은 항만의 지형, 해륙의 연락상황 혹은 출화 (出貨)의 상태 등에 따라 일정하지 않지만 다음과 같은 시설을 보유하고 있다.

1) **부두(berth) 및 에이프런(apron)** : 컨테이너선이 접안하는 부두에는 하역용 의 컨테이너 크레인(container crane)이 주행할 수 있는 레일(rail)이 설치 되어 있고, 트레일러(trailer)나 스트레들 캐리어(straddle carrier)가 주행하 기 위한 충분한 넓이의 에이프런(apron)이 설치되어 있다.

2) **마샬링 야드(marshalling yard)** : 컨테이너선에 선적할 컨테이너를 본선 입 항전에 미리 선적할 순서로 배열해 두는 장소로서 에이프런과 인접하여 있 다. 그 넓이는 해당 컨테이너 터미널에서 적양되는 컨테이너의 최대개수를 수용할 수 있게 충분한 공간을 확보하는 것이 조건이 된다.

3) **컨테이너 야드(container yard)** : FCL화물이 이곳에서 화주와 선박회사간 에 수도가 이루어지는 곳이다.

4) **CFS(container freight station)** : LCL화물의 적입과 적출이 이루어지는 곳이다.

5) **스토리지 야드(storage yard)** : 빈 컨테이너를 놓아두는 곳이다.

6) **기타시설**

① 본부사무소(administration office)

② 전자계산실(computer room)

③ 컨트롤 타워(control tower) : 터미널내의 하역작업, 컨테이너의 배치, 기 타 작업이 본부 지시대로 잘 실시되고 있는가를 감시·감독을 위해 설치된 장소이다.

④ **메인터넌스 샵(maintenance shop)** : 컨테이너 자체의 검사, 보수, 청소 등과 터미널내에 사용하는 각종의 기계, 기구류의 수리를 행하는 곳이다.

⑤ **게이트(gate)** : container yard의 관문으로 모든 화물, 빈컨테이너, 화물

이 든 컨테이너의 출입을 감시하며 특히 화물이 든 컨테이너의 출입시에는 필요한 서류의 접수와 입화되는 컨테이너의 점검 및 총중량의 측정 등을 행한다. 중량측정을 하기 위하여 게이트에는 트럭 스케일(truck scale)이 설치되어 있다.

□ 선박에서 CY 또는 CFS까지 가는 순서와 사용되는 장비를 연계해서 설명하시오? ★[검수사]
○ 수입화물의 경우 선박 → Apron(화물의 하역작업에 필요한 크레인 등이 설치된 장소) → Marshaling Yard(컨테이너가 배에 실리는 순서대로 쌓아두는 곳) → CY(Container Yard) 또는 CFS 순이다.
○ 컨테이너 크레인(Apron) → 전용 트레일러인 새시(chassis)에 적재 → 마샬링야드 → CY(Straddle carrier) 또는 CFS
○ 수출화물의 경우 역순이다

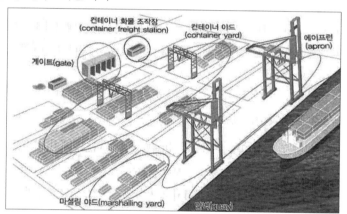

□ 마샬링 야드와 CY 지역간 컨테이너를 운반 및 적재하는데 사용되며, 새시 위에 이적 하는데도 사용되는 컨테이너 하역장비는?
○ Straddle carrier(스트래들 캐리어)

□ CY에서 컨테이너 화물 반출 절차는? ★★[감정사/검량사/검수사]
○ CFS(Container Freight Station) → CY(Container Yard) → Marshalling Yard(컨테이너가 배에 실리는 순서대로 쌓아두는 곳) → Apron(화물의 하역작업에 필요한 크레인 등이 설치된 장소)

○ LCL화물은 CFS로 가서 컨테이너화 한 후 CY로 이동하고 FCL화물은 CY 로 바로 이동한다.

□ **컨테이너 하역용 갠트리 크레인을 안벽전장에 걸쳐 활용할 수 있도록 크레인 레일이 설치되어 있는 장소는?**
○ Apron(에이프런)
☞ 「에이프런이 무엇인가?」라고도 물어볼 수 있다

□ **Marshalling Yard란 무엇인가?**   ★[검수사]
○ 컨테이너선에 직접 양적화 하는 컨테이너를 정렬시켜 놓은 넓은 장소를 말하며 통상 Marshalling Yard에는 컨테이너 사이즈에 대해 사전에 땅바닥에다 구획을 그려놓는다.
○ 이것을 'Slot'이라고 한다. 이 Slot에는 번호나 Mark(부호)가 붙고, 선적 컨테이너의 양하지, 중량 등에 의한 선내의 적부 계획을 행할 때 이 적부계획에 따라 소정의 Slot에 컨테이너를 배치시키는 이점도 있다.

□ **컨테이너 부두에서 이용되고 있는 장비를 설명하시오?**   ★[검수사]
1) 육상의 하역장비 : 컨테이너 크레인(C/C)(=갠트리 크레인), 트랜스퍼 크레인, 수평 인입식 크레인(LLC) 등
2) 이동형 하역장비 : 리치 스택커(reach stacker), 스트래들 크레인(straddle crane), 탑 핸들러(top handler), 새시 등
3) 선박용 하역장비 : 쉽테이너(Shiptainer)

□ **크레인을 이용하여 컨테이너를 하역하는 방법에 대해 설명하시오 ?**
1) 선박에 설치된 데릭과 크레인을 이용한 하역
2) 육상에 설치된 컨테이너 크레인 및 수평 인입식 크레인(LLC)을 이용하는 하역
3) 선박에 설치된 쉽테이너(Ship-tainer)를 이용한 방법

□ 컨테이너 크레인, 즉 갠트리크레인 방식의 종류는?　　★[감정사]

1) 싱글 리프트(한번에 20ft 또는 40ft 컨테이너 1개를 들어 올리는 방식)
2) 트윈 리프트(한번에 20ft 컨테이너 2개를 들어 올리는 방식)
3) 탠덤 리프트(한번에 20ft 컨테이너 4개 또는 40ft 컨테이너 2개를 들어 올리는 방식)

| [Single lift] | [Twin lift] | [Tandem lift] |

□ 화물적부도와 베이플랜을 구분하여 설명 하시오?　　★[검수사]

1) 화물적부도(Cargo Stowage Plan) : 화물이 선적되기 전에 선적지시서를 참조하여 1등 항해사가 각 해치별로 각 화물이 적부될 위치를 계획하여 작성한 화물적재계획서.
2) 베이플랜(Bay plan) : 각 컨테이너의 위치, 선적항 및 양하항, 화물의 종류 등의 주요 정보가 기재되어 있는 서류

☞ 23년도 시험에서 「베이플랜에 대해 설명하시오」라고 출제된 바 있다.

제4장.   하역서류와 무역거래조건

💡 참고자료 - 화물의 선적관계 서류

1. **선적요청서(S/R : Shipping Request)** : 정기선사에 개품운송화물의 탁송을 의뢰할 때 화주가 선박회사에 제출하는 신청서류이다.

2. **적하예약목록(Booking List)** : 선박회사에서 작성하여 본선과 하역업자에게 통지하는 서류로서 집화된 화물의 명세이며, 적하계획의 수립에 활용된다.

3. **선적지시서(S/O : Shipping Order)** : 화주의 선적요청서(S/R)에 따라 선사가 화물을 인수한 다음 운송할 선박의 책임자(1등 항해사) 앞으로 발행하는 화물의 적재에 관한 지시서이다. 본선의 선적책임자는 이에 의거하여 화물을 적재시키고 본선수령증(M/R)을 작성하여 화주에게 교부한다.

4. **검수일람표(Tally Sheet)** : 화물을 선적하거나 양하할 때 검수회사가 그 화물의 수량 및 외형상 고장의 유·무를 검사하여 그 결과를 기록한 서류를 말한다.

5. **검량증명서(Certificate of Measurement and Weight)** : 화물이 선창을 차지하는 부피 및 총 중량을 검측하고 발행하는 서류로 검량사에 의해 발급된다. 측정된 양은 운임계산의 기초로 사용될 뿐만 아니라 소요선복을 견적하고 적하계획을 수립하는데 이용된다.

6. **본선수령증(M/R : Mate's Receipt)** : 선적화물인수증. 선적이 완료된 후 검수사의 검수일람표(Tally Sheet)에 의해 본선측에서 작성하여 송화주 또는 하역업자에게 교부하는 서류이다. 선적이 종료되면 이 M/R을 근거로 적하 사고보고서를 작성하여 각 양하지로 발송한다.

7. **선하증권(B/L : Bill of Lading)** : 화물의 선적 또는 선적하기 위하여 선박회사가 인수하였다는 사실을 의미하고, 지정한 양하항에서 이것과 교환해서 선적화물을 인도할 것을 약정한 유가증권이다.

8. **해치리스트(Hatch List)** : 각 선창별로 적재된 화물의 종류, 수량을 기재한 일람표로 선적지시서와 검수일람표를 기초로 하여 작성된다. 양하항에서 각 선창별 화물량을 기초로 하여 하역에 걸리는 시간의 예측과 하역계획을 세우는데 참고자료가 된다.

9. **적하목록(M/F : Manifest)** : 화물의 선적을 완료한 후 선하증권 사본을 기초로 하여 본선 또는 선적지 대리점에서 작성하는 적재화물의 명세표를 말한다.

10. **화물적부도(Cargo Stowage Plan)** : 선적항에서 화물이 선적되기 전에 선적지시서를 참조하여 1등 항해사가 각 해치별로 각 화물이 적부될 위치를 계획하여 작성한 화물적재계획서로서 이에 따라 하역작업이 진행될 수 있게 한다. 선적이 종료되면 실제로 화물이 적부된 상황을 선창별로 정리한 후 다시 작성한다.

11. **적부감정서(Stowage Survey Report)** : 위험화물 또는 항해 중 손상이 우려되는 화물의 선적을 마친 후, 본선이 화물적부에 최선을 다했다는 사실을 객관적으로 인정받기 위해 해사감정인에게 감정을 의뢰한 경우에 있어 감정인이 그 소견을 기재한 서류이다. 이 서류는 항해가 종료된 후 화물에 손상이 생겼을 경우, 운송인이 그 책임을 면하기 위한 증거자료의 하나로 이용될 수 있다.

☞ 참고자료 – 화물의 인도관계 서류

1. **화물선취보증장(L/G : Letter of Guarantee)** : 수화주가 화물을 인수하기 위해서는 선하증권을 비롯한 선적서류를 확보하고 있어야한다. 그러나 선적서류보다 화물이 양하항에 먼저 도착하는 경우, 수입업자(수화주)와 신용장 발행은행이 연대하여 선하증권 원본 대신 제출하고 수입화물을 인도받기 위하여 선박회사 앞으로 발행하는 서류이다.

2. **화물인도지시서(D/O : Delivery Order)** : 선박회사가 수화주로부터 선하증권(B/L) 또는 화물선취보증장(L/G)을 받고 본선에 대하여 화물의 인도를 지시하는 서류이다.

3. **화물인수증(B/N : Cargo Boat Note)** : 본선에서 수입화물을 양하하기에 앞서 세관원이나 검수인이 본선의 적하목록과 대조하여 화물의 이상여부에 대하여 발행하는 명세서이다.

4. **해난보고서(Sea protest)** : 항해 도중의 악천후로 인하여 선체에 손상이 있거나 선창 내의 화물에 손상이 우려될 때 선장이 입항한 항에서 항해일지를 근거로 한 해난보고서를 작성하고 선장이 행정관청 또는 외국의 경우, 공증인에게 출두하여 그 보고서에 대한 증명을 청구할 수 있다. 이 서류의 목적은 선박이 항해 중 황천에 조우하였다는 사실을 확인해 두고자 하는 것으로 손상이 발생한 경우, 해상고유의 위험에 의한 것임을 주장할 수 있는 근거가 된다. 이전에는 해난에 의한 각종 손해에 대해 보험 구상을 하는 과정에서 해난보고서가 제출되었으나 현재는 그다지 중요시 되고 있지 않다.

5. **창구검사보고서(Hatch Survey Report)** : 선창 내의 화물에 손상이 발생한 것으로 예상되는 경우, 하역이 시작되기 전에 본선의 요청에 의해 해사감정인(Marine Surveyor)이 승선하여 화물창의 창구에 대해 실시하는 검사이다. 항해일지 등을 참고하여 창구 및 창구의 폐쇄상태를 검사하는 것으로서 이상이 있는 경우에는 그 원인이 황천에 의한 것인지의 여부에 관해 감정을 받아 손상 원인이 황천에 의한 것인 경우, 해상고유의 위험에 따른 불가항력으로 운송인의 면책을 주장할 수 있는 근거로 활용된다.

6. **손상화물감정서(Damage Cargo Survey Report)** : 선적화물이 손상된 경우에 있어 그 원인, 정도 및 성질 등을 감정하기 위해 실시하는 검사이다. 일반적으로 양하가 이루어진 직후에 운송인과 수화주가 합의하여 의뢰한 검정인에 의해 수행되며, 필요한 경우 보험회사 직원이 입회하여 손해의 처리에 대비한다.

7. **화물 과부족조사서(Tracer)** : 양하작업 후 화물의 과부족이 발견되었을 때 실시하는 조사로서 화물과부족조사서를 작성하여 노선상의 각 지점 및 대리점에 송부한다. 각 지점 및 대리점은 화물과부족조사서를 참조하여 잘못 양하된 화물을 확인, 본래의 목적항으로 운송한다.

□ 화물을 인수 또는 선적할 때 관계되는 서류를 3가지 이상 말하시오?

★★[감정사/검수사]

○ 송화주가 수화주에 화물을 보내기 위해서 선사를 통해 화물을 선박에 선적 하기까지 필요한 서류

○ 선적요청서(S/R), 본선인수증(M/R), 선하증권(B/L), 적하목록(M/F), 해치리 스트(Hatch list), 적부감정서(stowage survey report) 등이 있음

 1) 선적요청서(S/R : Shipping Request) : 송화주가 선사에 제출하는 선적 신청서류

☞ 23년 감정사 시험에 「선적요청서가 영어로 무엇이냐?」 는 질문이 나오기도 하였다.

 2) 선적지시서(S/O : Shipping Order) : 선사가 일등항해사에게 발행하는 적재지시서

 3) 화물적부도(Cargo Stowage Plan) : 일등항해사가 선적지시서(S/O)를 기 초로 작성. 적화용적도와 비슷한 방법으로 그린 도면이며 이것에 화물적 부상태를 기입하여 한눈으로 파악할 수 있도록 했다. 각 구역의 적화상태 를 일목요연하게 파악할 수 있게 함으로써 하역의 진행을 편리하게 하며 양륙착오 등의 화물사고가 없게 하는 것이 주목적이다. 화물적부도는 선 적전에 작성하는 '적화계획 적부도'와 적화작업이 완료한 후 작성되는 '완 성 적부도'가 있다. 그래서 화물 적부도는 2번 작성한다고 한다.

 4) 본선수령증(M/R : Mate's Receipt) : 선적이 완료된 후 검수, 검량에 의 해 본선측에서 작성하여 송화주 또는 하역업자에게 교부하는 서류

 5) 선하증권(B/L : Bill of Lading) : 송하주가 본선수령증(M/R)을 선사에 제 출하면 선사가 선하증권(B/L)작성. 운송인이 운송을 위하여 화물을 수령하 였다는 것 또는 선적하였다는 것을 인증하고 약정된 장소에서 소지인에게 인도할 의무를 부담하는 유가증권

 6) 적하목록(M/F : Manifest) : 선적을 완료한 후 B/L을 기초로 본선에서 작성
   * 본선수령증(M/R)→선하증권(B/L)→적하목록(M/F)

 7) 해치리스트(Hatch List) : 각 선창별로 적재된 화물의 종류, 수량을 기재 한 일람표

 8) (화물)적부감정서(Stowage Survey Report) : 위험화물 또는 손상이 우려 되는 화물의 선적을 마친 후 본선이 화물적부*에 최선을 다했다는 사실을

인정받기 위해 감정인이 작성한 서류

* 화물적부검사 : 창구(Hatch)검사, 적부(Stowage)검사, 선창소제(Hold cleaning)검사, 냉장고검사

□ 화물을 양하하거나 인도할 때 관계되는 서류는?　　★★[감정사/검수사]

○ 선박이 양하지에 도착하여 운송인이 화물을 양하하여 수하주에게 인도하기까지 필요한 서류

○ B/L 또는 L/G, 화물인도지시서(D/O), 화물인수증(Cargo Boat Note), 해난보고서(Sea Protest), 창구검사보고서(Hatch survey report), 손상화물검사서(Damage survey cargo report), 화물과부족조사서(Tracer) 등이 있음

 1) 화물선취보증장(L/G : Letter of Guarantee) : 선하증권 원본 대신 제출하고 화물을 인수할 수 있는 서류

 2) 화물인도지시서(D/O : Delivery Order) : B/L이나 L/G를 근거로 화물을 인도지시하는 서류

 3) 화물인수증(Cargo Boat Note) : 세관원이나 검수원이 M/F과 대조하여 발행하는 서류

 4) 해난보고서(Sea Protest) : 항해 도중의 악천후로 인하여 선체에 손상이 있거나 선창 내의 화물에 손상이 우려될 때 선장이 입항한 항에서 항해일지를 근거로 한 해난보고서(Sea protest)를 작성하고 선장이 행정관청 또는 외국의 경우, 공증인에게 출두하여 그 보고서에 대한 증명을 청구할 수 있다. 이 서류의 목적은 선박이 항해 중 황천에 조우하였다는 사실을 확인해 두고자하는 것으로 손상이 발생한 경우, 해상고유의 위험에 의한 것임을 주장할 수 있는 근거가 된다.

 5) 창구검사보고서(Hatch survey report) : 선창내의 화물 손상이 예상되는 경우 양하작업 시작되기 전에 해사감정인에게 검사를 의뢰한다.

 6) 손상화물검사서(Damage cargo survey report) : 선적화물이 손상된 경우 원인, 정도 등을 감정하기 위해 실시하는 검사이다.

 7) 과부족조사서(Tracer) : 화물의 과부족시 노선상의 각지점 및 대리점에 송부하여 조사를 의뢰하고 양륙재조사 보고서를 작성하여 회신한다.

※ 화물적부감정서(선적後)→창구검사보고서(양하前)→손상화물감정서(양하後)

□ **"본선인수증"에 대해 설명하시오?** ★[검수사]

○ M/R(Mate's receipt), 선적이 완료된 후 검수, 검량에 의해 본선측에서 작성하여 송화주 또는 하역업자에게 교부하는 서류. B/L은 M/R을 기초로 하여 작성됨

※ 여기에서 mate는 항해사를 말함. 구체적으로는 일등항해사를 지칭한다.

□ **D/R과 M/R의 차이는?** ★★[감정사/검수사]

○ D/R과 M/R 모두 화물을 받았음을 표시하는 서류이다.

○ D/R(Dock Receipt)은 화물이 부두에 입고되면 선사측인 부두운영자가 발행하는 서류이다.

○ M/R(Mate's Receipt)은 본선에 화물이 반입된 후에 본선 1등 항해사가 발행하는 서류이다.

○ 두 수취증 모두 선사나 본선에서 화주에게 화물수취의 증거로 교부해주는 서류로 발행시기와 발행자에서 차이가 있다.

□ **"Dock Receipt"는 무엇이고 누가 발행 하는가?** ★[감정사]

○ D/R(Dock Receipt, 부두수취증)은 CY 또는 CFS의 운영자가 발행한다. 반입된 컨테이너는 CY 또는 CFS로 반입되고 부두수령증에 서명을 받는다.

○ D/R은 컨테이너 운항선사의 부두에 화물이 입고되면 부두운영자가 화물을 받고 발행하는 서류이다. 화물의 과부족이나 손상이 있는 경우 적요란에 그 내용을 기입한다.

□ **"Cargo Tracer"는 무엇이며 누가 발행하는가?** ★★[감정사]

○ 화물 과부족 조사서라고 한다. 줄여서 Tracer라고도 한다.

○ 특정 양하지의 선박대리점에서 발행하며 글자 그대로 화물을 추적하는 서류이다. 양하작업 후 화물의 과부족이 발견되었을 때 이 조사서를 작성하여 노선상의 각 지점에 송부하면 각 지점은 이 서류를 참조하여 양하된 화물을 확인하여 본래의 목적항으로 운송한다.

□ 선적지시서(S/O)와 화물인도지시서(D/O)에 대해 설명하시오?★[감정사]

○ 선적지시서(Shipping Order)는 화주의 선적요청서에 따라 선사가 화물을 인수한 다음 본선의 1항사 앞으로 발행하는 화물적재 지시서이다. 1항사는 이것을 근거로 화물을 적재하고 본선수령증(M/R)을 작성하여 화주에게 교부한다.

○ 화물인도지시서(Delivery Order)는 선사가 수화주에게 B/L이나 L/G(화물선취보증장)을 받고 본선에 화물의 인도를 지시하는 서류이다. 컨테이너 운송의 경우는 선사가 화물보관자인 CFS 또는 CY업자에게 D/O 지참인에 한해 화물을 인도할 것을 지시하는 서류를 말한다.

□ "(화물)적부감정서"는 누가 작성하며 어떻게 쓰이는가?   ★[감정사]

○ Cargo stowage survey report.

○ 해상운송에서 화물의 손상 및 클레임의 발생에 대비하여 본선에 화물을 적재한 후 감정인(surveyor)에게 화물의 적부상태의 감정을 의뢰한다. 적부상태에 대하여 감정결과 이상이 없다는 감정인의 감정증명서를 받는데 이 증명서를 화물적부감정서라고 한다.

○ 화물적부검사 결과 이상이 없었다는 것을 입증하기 위해 창구검사, 적부검사, 냉장고검사 및 창내소제검사 등을 Surveyor(감정인)의 감정에 의하여 발행되어 입증한다

※ (화물)적부감정서는 선적을 마친후에 실시하고, "창구검사보고서"는 하역전에 실시한다.

□ 선박운항자가 화물사고 발생시 면책받기 위한 증거서류는 무엇인가?

★[감정사]

○ 화물을 선박에 적재한 후 "화물적부감정서"를 양하지에 도착하여 화물양하 전에 실시하는 "창구검사보고서", 양하가 이루어진 이후에 실시하는 "손상화물감정서" 등이 있다.(☞ 적→창→손으로 암기)

○ 화물적부감정서(Stowage Survey Report) : 해상운송에서 화물의 손상 및 클레임의 발생에 대비하여 본선에 화물을 적재한 후 감정인에게 화물적부상태의 감정을 의뢰한다. 적부상태에 대하여 감정결과 이상이 없다는 감정인의 감정증명서를 받는데 이 증명서를 (화물)적부감정서라고 한다.

○ 창구검사보고서(Hatch Survey Report) : 선창 내의 화물에 손상이 발생한 것으로 예상되는 경우, 양하가 시작되기 전에 본선의 요청에 의해 해사감정인(Marine Surveyor)이 승선하여 화물창의 창구에 대해 실시하는 검사이다. 항해일지 등을 참고하여 창구 및 창구의 폐쇄상태를 검사하는 것으로서 이상이 있는 경우에는 그 원인이 황천에 의한 것인지의 여부에 관해 감정을 받아 손상원인이 황천에 의한 것인 경우, 해상 고유의 위험에 따른 불가항력으로 운송인의 면책을 주장할 수 있는 근거로 활용된다.

○ 손상화물감정서(Damage Cargo Survey Report) : 선적화물이 손상된 경우에 있어 그 원인, 정도 및 성질 등을 감정하기 위해 실시하는 검사이다. 일반적으로 양하가 이루어진 직후에 운송인과 수화주가 합의하여 의뢰한 검정인에 의해 수행되며, 필요한 경우 보험회사 직원이 입회하여 손해의 처리에 대비한다.

□ **L/C는 무엇이며 누가 발행하는가?**   ★[감정사]
○ Letter of Credit. 신용장이라고 한다.
○ 신용장은 수입상의 거래은행이 수입업자의 요청으로 수출상으로 하여금 일정기간 내에 신용장에 기재된 일정조건하에서 선적서류 등을 제시하면 은행이 대금을 지급하겠다고 약속하는 '은행의 조건부 지급확약서'이다.
○ 수입업자가 발행하며, 계약이 체결된 후 계약상 신용장에 의해 대금결제를 하기로 한 경우 자국의 거래은행을 통해 수출업자의 거래은행 앞으로 신용장을 발행한다.

□ **L/C, L/G, L/I를 구분하여 설명하시오?**   ★[감정사/검수사]
○ L/C(신용장, Letter of Credit) : 특정은행이 수입업자의 지불능력을 보증하는 증서이다.
○ L/G(화물선취보증장, Letter of Guarantee) : 선하증권 원본 대신 제출하고 화물을 인수할 수 있는 서류이다.
○ L/I(보상각서, Letter of Indemnity) : 송화인의 화물이 이상이 있을 때 Foul B/L이나 Dirty B/L을 받을 것이 예상될 때 보상각서를 제출하고 Clean B/L을 교부 받을때 제출하는 서류이다. 비정상적 관행이다.

💡 참고자료 - 인코텀즈(Incoterms)

1. Incoterms(정형거래조건) : 국제상업회의소(ICC : International Chamber of Commerce)가 제정한 무역조건의 해석에 관한 국제규칙. 선적지 인도조건 8개와 양륙지 인도조건 3가지로 구성되어 총 11개의 무역조건이 있음. Incoterms 2020으로 개정되면서 DAT(Delivered At Terminal)가 삭제되고 DPU 신설 및 CIP의 보험부보 범위가 최소에서 최대로 변경되었다.

 1) 복합운송 조건 : EXW, FCA, CPT, CIP, DAP, DPU, DDP

 2) 해상운송 조건 : FAS, FOB, CFR, CIF

  * (E, F계열) 매수인이 운송계약, 매수인이 비용부담

  * (C, D계열) 매도인이 운송계약, 매도인이 비용부담

  * (Carriage) 복합운송에서 사용되는 운송비용 (Freight) (해상)운임

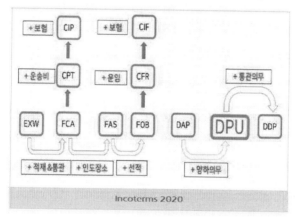

2. 복합운송규칙

 1) EXW(Ex Work, 공장 인도조건) : 매도인은 구역(공장, 창고 등)에 물건만 내놓으면 나머지는 매수인이 화물을 인도(수출, 수입통관, 운임, 보험 등)해가는 조건. 매도인입장에서 가장 편리한 조건

 2) FCA(Free Carrier, 운송인 인도조건) : 매도인이 수출통관을 이행하고 약속한 장소에서 물품을 운송인에게 인도해주는 조건

 3) CPT(Carriage Paid To, 운임지급 인도조건) : 매도인이 수출통관을 이행하고 약속한 장소에서 물품을 운송인에게 인도해주며 매도인이

목적지까지 운송비를 지급

4) CIP(Carriage and Insurance Paid To, 운임&보험료지급 인도조건) : 매도인이 수출통관을 이행하고 약속한 장소에서 물품을 운송인에게 인도해주며 매도인이 운송비와 보험료를 부담 ※ 2020개정으로 CIP조건에서 최대담보범위(ICC(A))로 보험부보

5) DAP(Delivered At Place, 목적지 인도조건) : 매도인이 수입국의 목적지까지 물품을 인도해야 하며 수출통관을 하고 운송계약을 체결하고 수입국에 도착해서 "물건을 양하하지 않은 상태로" 매수인에게 인도. 수입통관은 매수인이 책임

6) DPU(Delivered At Place Unloaded, 목적지 양하인도조건) : DAP+물품양하 조건. 수입통관은 매수인이 책임

7) DDP(Delivered Duty Paid, 관세지급 인도조건) : DAP+통관의무 조건. 수출통관, 운송수배, 수입통관, 관세지급 등 모든 비용을 부담하고 수입국의 지정장소에서 매수인에게 물품을 인도하는 조건. 단, 매도인이 수입국 목적지에서 물품을 양하(unload)할 의무는 없음. ※ DDP조건은 EXW조건과 반대로 매도인이 모든 업무를 수행

3. 해상운송규칙

1) FAS(Free Along Side Ship, 선측 인도조건) : 선박의 선측에서 매수인이 화물을 인수하게 되는 무역조건. 매수인은 지정항구에서 본선 하역장비의 Tackle(기중기)의 도달거리에서 화물을 인수한 후, 모든 비용과 위험을 부담하게 되므로 그때부터 적하보험계약의 책임이 개시된다.

2) FOB(Free On Board, 본선 인도조건) : 수입상이 지정 수배한 선적항의 본선상에 화물을 인도시켜주는 화물 매매조건. 본선선적 이후의 모든 비용과 위험은 수입상이 부담하여야 하므로 이때부터 적하보험의 담보효력이 발생함. 매도인은 창고에서 본선까지의 위험은 따로 부보하여야 함. FOB 수출의 경우에 Incoterms 상으로 매수인이 보험을 붙이도록 하였기 때문에 매도인으로서 전혀 보험에 관심을 갖지 않으면 무보험상태가 되는 구간이 발생할 수 있음

3) CFR(Cost & Freight, 운임포함조건) : 목적지 항구까지의 운임을 매

도인(수출상)이 부담하는 조건. 적하보험의 부보의무는 수입상에게 있는 매매조건

* FOB와 CFR인 경우 Incoterms에 따르면 매도인과 매수인간의 화물에 대한 위험분기점을 화물이 본선의 난간을 통과하는 시점으로 규정. 따라서 피보험이익이 이전되는 시점 또한 이 시점 이후이다.

4) CIF(Cost, Insurance and Freight, 운임&보험료 포함조건) : 매도인 (수출상)이 자기비용으로 보험료와 운임을 부담하는 조건. CIF조건에서 는 선적지의 선적대기 장소에서 선적을 하기 위해 떠날때 부터 적하보 험의 담보효력이 개시되며 선박에 선적을 종료하면 그 선적통지를 수 입상에게 해주고 보험증권도 동시에 양도하게 된다. 따라서 보세창고 에서 선박까지는 매도인(seller)자신이 위험을 담보하고 본선에 선적된 후부터는 매수인(buyer)에게 보험증권을 양도함으로서 계속해서 효력이 발생하여 최종 수화주 창고까지 담보되는 것으로 창고약관(warehouse to warehouse clause)이 그대로 적용된다는 사실을 알 수 있다.

※ 인코텀즈의 이해를 돕기 위한 YouTube 컨텐츠를 추천합니다. "인코텀즈 2020 한방에 정리하기"

□ INCOTERMS 2020에 대해 설명하시오?　　　　　　　　★[감정사]

○ 국제상업회의소(ICC : International Chamber of Commerce)에서 제정한 규칙이다. 정식명칭은 "무역조건의 해석에 관한 국제규칙(International Rules for the Interpretation of Trade Terms)으로 이를 다시 International Commercial Terms로 줄여 INCOTERMS라 부른다. INCOTERMS에는 11개의 무역조건이 있다.

○ 인도조건으로 구분하였을 경우, 선적지 인도조건 8개(FAS, FOB, CFR, CIF, EXW, FCA, CPT, CIP)와 양륙지 인도조건 3가지(DAP, DPU, DDP) 로 구성되어 총 11개의 무역조건이 있다.

○ 운송조건으로 구분하였을 경우, 복합운송 조건은 7개(EXW, FCA, CPT, CIP, DAP, DPU, DDP), 해상운송 조건은 4개(FAS, FOB, CFR, CIF)로 구성되어 총 11개의 무역조건이 된다.

□ CIF 조건에 대해 설명하시오?　　　　　　　　　　　　★★★[감정사]
○ Cost, Insurance and Freight, 운임&보험료 포함조건이다.
○ INCOTERMS에서 인도조건으로는 선적지 인도조건, 운송조건으로는 해상운
　송 조건에 해당한다.
○ 수출상이 자기비용으로 보험료와 운임을 부담하는 화물매매조건이다
○ 매도인이 수입상에게 물건을 인도하기까지 물품 선적에서 목적지까지 비용
　(C)과 목적항 도착까지의 운임(F), 보험료(I) 일체를 부담한다.
○ CIF조건에서는 선적지의 선적대기 장소에서 선박에 선적을 하기 위해 떠날
　때부터 적하보험의 담보효력이 개시되며, 선박에 선적을 종료하면 그 선적
　통지를 수입상에게 해주고 보험증권도 동시에 양도하게 된다.
○ 보세창고에서 선박까지는 매도인(Seller) 자신의 위험을 담보하고 본선에 선
　적된 후부터는 매수인(Buyer)에게 보험증권을 양도함으로서 계속해서 효력
　이 발생하여 최종 수화주 창고까지 담보되는 것이므로 창고약관(warehouse
　to warehouse clause)이 그대로 적용된다.

□ CIP 조건에 대해 설명하시오?　　　　　　　　　　　　★[감정사]
○ Carriage and Insurance Paid to, 운임&보험료 지급 인도조건이다.
○ INCOTERMS에서 인도조건으로는 선적지 인도조건, 운송조건으로는 복합운
　송 조건에 해당한다.
○ 매도인(수출인)이 수출통관을 이행하고 약속한 장소에서 물품을 운송인에게
　인도해주며 매도인이 운송비와 보험료를 부담한다.
○ 2020년 인코텀즈 개정으로 CIP조건에서 최대담보범위로 보험을 부보한다.

□ FAS 조건에 대해 설명하시오?
○ Free Alongside Ship, 선측 인도조건
○ INCOTERMS에서 인도조건으로는 선적지 인도조건, 운송조건으로는 해상
　운송 조건에 해당한다.
○ 선박의 선측에서 매수인이 화물을 인수하게 되는 무역조건으로서 매수인은
　지정항구에서 본선하역장비의 Tackle(기중기)의 도달거리에서 화물을 인수
　한 후, 모든 비용과 위험을 부담하게 되므로 그때부터 적하보험계약의 책임
　이 개시된다.

○ 따라서 매도인은 본선선측에 화물을 인도시킬 때까지는 적절한 대비책을 마련해야 한다.

☐ FOB 조건에 대해 설명하시오?
○ Free On Board, 본선 인도조건
○ INCOTERMS에서 인도조건으로는 선적지 인도조건, 운송조건으로는 해상 운송 조건에 해당한다.
○ 매도인은 수입상(매수인)이 지정한 선박에 화물을 선적하여 인도 시켜주는 화물 매매조건을 말한다.
○ 본선 선적 이후의 모든 비용과 위험은 수입상이 부담하여야 하므로 이때 부터 적하보험의 담보효력이 발생한다. 매도인은 창고에서부터 본선까지의 위험은 따로 부보하여야 한다.

☐ CFR(C&F) 조건에 대해 설명하시오?
○ Cost and Freight, 운임 포함조건
○ INCOTERMS에서 인도조건으로는 선적지 인도조건, 운송조건으로는 해상 운송 조건에 해당한다.
○ 목적지 항구까지 운임을 수출상(매도인)이 부담하는 조건이지만 적하보험의 부보의무는 수입상에게 있는 화물 매매조건이다
○ 해상보험의 개시는 FOB 조건과 같다. 화물이 본선의 난간을 통과한 시점부터 보험 개시시점이라 볼 수 있다.

☐ 선하증권에 대해 설명하시오?   ★★★[감정사]
○ B/L, Bill of Lading이라고 한다.
○ 송하인(매도인, 수출자) 또는 용선자가 운송물을 운송하기 위하여 운송인인 선사에게 인도한 경우에 선사가 발행하는 증권이다.
○ 운송물을 인도하였다는 증거가 되고 목적지에서 선하증권과 상환하여 운송물의 인도를 받는 권리를 표창하는 유가증권을 말한다.
○ 선하증권은 운송물을 수령하거나 적재한 후에 용선자 또는 송하인의 청구에 의하여 선박소유자가 발행하는 의무를 부담하나 실제상은 운송물의 선적 전에도 발행되는 경우도 있다.

□ **선하증권은 누가 발행하는가?** ★[감정사]

○ 송하인(매도인, 수출자) 또는 용선자가 운송물을 운송하기 위하여 운송인인 선사에게 인도한 경우 송하인의 청구에 의하여 1통 또는 수통의 선하증권을 교부 한다.

□ **선하증권의 기능은?** ★★[감정사]

1) 화물의 수령증(B/L as a receipt of the goods) : 선하증권은 운송인이 선하증권에 기재된 화물(종류, 상태, 수량 등)을 약정된 목적지까지의 운송을 위하여 특정선박에 선적하였거나 또는 최소한 선적을 위하여 운송인의 지배 아래로 수령하였음을 인증하는 수령증서로서의 기능이 있다.

2) 운송계약의 증서(evidence of the contract of carriage) : 선하증권은 그 자체가 운송계약이 아니다. 운송계약은 불요식 낙성계약으로 반드시 어떤 요식이나 운송계약서의 작성이 필요한 것은 아니다. 용선운송의 경우 계약서를 작성하는 것이 통례이나 정기선의 개품운송에서는 별도의 계약서를 작성함이 없이 선하증권만 작성되고 그것이 운송을 의뢰한 자와 운송인간에 운송계약이 체결되었음을 증명하는 증거서류이다. 선하증권은 발행이전에 성립한 운송계약의 내용과 조건을 구체적으로 반복하는 운송계약의 증거로서의 기능을 갖는다.

3) 화물에 대한 권리증권(document of title to the goods) : 선하증권은 그 자체가 화물을 대표하는 권리증권으로서 선하증권의 정당한 소유가 곧 선하증권기재의 화물에 대한 권리를 소유하는 것과 동일함을 법률로 보장받고 있다. 따라서 운송중인 화물이라도 선하증권 자체를 양도, 매각하거나 질권을 설정하여 경제적 가치를 직접 활용할 수 있다. 선하증권은 화물을 상징하며 선하증권의 양도는 증권에 기재된 물품을 양도하는 것과 동일하다.

   * 질권(質權) : 저당권과 함께 금융을 얻는 수단으로 이용되지만 목적물에 대한 점유가 채권자에게 이전된다는 점과 목적물의 종류에서 차이를 보인다. 질권 목적물은 동산, 양도할 수 있는 권리(채권, 주식, 특허권) 등으로 부동산은 해당되지 않는다(질권의 대표적인 것인 전당포이다.)

□ **선하증권의 경제적 기능(효용)은?** ★★★[감정사]

1) 무역상품대금의 결제수단 : 선하증권은 상품의 대금을 받는 필수적 서류역

할을 수행한다. 매매계약으로 약정된 여러가지 주요내용(물품의 종류, 수량, 수취 또는 선적지 및 일자 등)이 증명될 뿐만 아니라 그 자체가 법적으로 유가증권적 지위를 보호받고 있기 때문이다. 매도인은 물품과 대금자체를 동시에 수도하는 것이 아니라 선하증권을 첨부하여 수화주 앞으로 화환어음을 발행하고 이를 은행에 매입시켜 상품대금을 지급받으므로 선하증권은 국제무역에서 상품대금의 결제수단으로서의 역할을 한다.

* 화환(貨換)어음 : 매도인이 먼 곳에 있는 매수인에게 상품을 보내면서 그것을 담보로 하여 발행하는 어음

2) 운송물품(대금)의 담보수단 : 선하증권을 첨부한 화환어음을 매입하고 매도인에게 상품대금을 지급한 은행(매입은행)이 동 서류를 개설은행에 보내면 그 개설은행은 매수인으로 부터 상품대금을 받아 수출지의 매입은행에게 지급하여야 한다. 만약 이때 신용장 개설자인 매수인이 물품대금을 지급하지 않는다면 개설은행은 그에게 선하증권을 양도하지 않을 것이며 개설은행이 선하증권을 소지하고 있는 한 선하증권에 기재된 물품에 대한 담보권이 계속된다.

3) 무역조건에 따라 서류에 의한 거래 가능 : 매도인이 매수인에게 선적선하증권을 제공함으로서 물품을 제공한 것과 같은 효과를 발휘하게 된다. 선하증권은 서류에 의한 거래(symbolic transaction)을 가능케 하는 역할을 한다.

4) 운송중의 화물의 전매가능 : 선하증권은 권리증권으로서 증권의 인도가 곧 증권기재의 화물을 인도하는 것과 같은 효력에 기하여 수화주(선하증권 소지인)는 그 선하증권을 매매하는 방법으로써 도착화물을 매매할 수 있음은 물론, 운송중의 화물에 대하여도 전매를 가능케 한다.

□ 선하증권(B/L)의 종류 3가지 이상 한글과 영어로 말하시오?★★[검수사]
○ 선적 선하증권(On board B/L) ↔ 수령 선하증권(Received B/L)
○ 지시식 선하증권(Order B/L) ↔ 기명식 선하증권(Straight B/L)
○ 무유보 선하증권(Clean B/L) ↔ 유보 선하증권(Foul B/L)
 ※ 반대적인 개념이 아니라 서로 비교대상이 되는 선하증권을 표현한 것임

□ 선하증권 발행 전 서류의 종류와 그에 대해 설명하시오?

★★[감정사/검수사]

① 송화주가 선사나 대리점에 선적요청서(Shipping Request) 제출 → ② 선사가 운송계약 예약서(Booking Note)를 송화주에게 발급 → ③ 선사는 송화인과 본선 1항사에게 선적지시서(Shipping Order)를 발급 → ④ 선적완료 후 본선 1항사(Chief Officer)가 송화인에게 본선수취증(Mate's Receipt)발행 → ⑤ 송화인은 선사에 M/R을 제시하고 송화인의 청구에 의해 선사는 선하증권을 발급한다.

※ B/L 발행순서 : S/R → S/O → M/R → Bill of Lading → M/F
※ 화물 선적전 발행서류 : S/R → B/N(Booking Note) → S/O

☞ 23년 감정사 시험에 「화물의 선적전에 발행하는 서류가 무엇인가?」라는 질문이 있었다.

  * 부킹 노트(B/N) : 화물을 선박을 싣기 위하여 선박회사와 미리 약속한 내용을 증명하는 문서
  * 부킹 리스트(booking list) : booking note를 기준으로 선적 예정 화물을 적하지, 양하지별로 구분하여 작성한 일람표

□ 선하증권의 종류에 대해 설명하시오?

○ 선하증권의 발행시기를 기준으로 한 분류

1) 수령선하증권(Received B/L, Received for shipment B/L) : 운송인이 운송을 위하여 화물을 수령한 후 그 뜻을 기재하여 발행한 선하증권을 말한다. 신용장거래에서는 당해 신용장이 특별히 수령선하증권을 허용하지 않는 한 수리되지 않으나 수령선하증권도 운송인이 선적되었다는 뜻과 선적일자를 별도로 부기(on board notation)하고 서명하면 선적선하증권이 된다.

2) 선적선하증권(Shipped B/L, On board B/L, Laden on board B/L) : B/L에 기재된 화물이 운송선박에 선적된 후 그 뜻이 기재된 선하증권을 말한다.

○ 수하인의 표시에 의한 분류

1) 기명식 선하증권(Straight B/L) : 선하증권의 수하인란에 특정인의 명칭(회사명 또는 성명)이 기재된 선하증권. 대부분의 국가에서는 기명식B/L은 배서양도가 불가능하다고 규정하고 있으나 우리나라에서는 선하증권은 당연한

지시증권이며 특히 B/L에 '배서금지'의 뜻이 표시되어 있어야만 배서양도가 불가능하다. 개인 이사짐의 경우 양도하는 경우가 없으므로 이런 경우 사용되는 선하증권이다.

2) 지시식 선하증권(Order B/L) : 선하증권의 수하인란에 "Order..."라는 문언이 포함되어 있는 선하증권을 말함. 지시식 B/L은 배서에 의해 유통이 가능함. 즉 운송중이나 양하시 계약에 의해 다른 매수인에게 양도가 가능하다는 의미이다.

○ 선하증권의 유통가부에 따른 분류
1) Negotiable B/L : (법률상 당연한) 지시식 B/L
2) Non-Negotiable B/L : (유통불가표시가 있는) 기명식 B/L

○ 화물의 하자상태의 기재유무에 따른 분류
1) 무유보 선하증권(Clean B/L) : 선하증권상에 화물 또는 포장의 하자상태의 기재가 없는 B/L을 말함. 따라서 선하증권에 별도로 "Clean B/L"이라는 문구가 없더라도 유보문구가 없다면 이미 Clean B/L이다. 통상 B/L에는 운송인이 '외관상 양호한 상태로'(in apparent good order and condition) 운송물을 수령 또는 선적하였다는 뜻이 인쇄되어있다.

2) 유보 선하증권, 고장부 선하증권(Foul B/L, Dirty B/L) : 화물, 포장 기타 상태에 불완전한 점이 있어서 그 내용(예; Leaking, Tort, Dented, Scratch, Rusted 등)이 기재된 선하증권을 말함. 운송인 측면에서는 송하인이 위탁한 화물의 외관상태를 상당한 주의로써 검사하고, 화물 또는 포장의 상태에 이상이 있을 경우에는 그 내용을 선하증권에 기재하여야 사후에 부당한 화물 손해배상 클레임에 대비할 수 있다. 화물 또는 포장 등에 결함이 있는 경우에 실무적 편법으로 송하인이 운송인에게 파손화물에 대한 보상각서 또는 보상장(LOI 또는 LI ; Letter of Indemnity)를 제출하고 Clean B/L을 교부받는 비정상적 관행이 종종 있다.

□ 선하증권의 종류에서 수하인 표시에 따라 분류되는 B/L은 무엇인가?
○ 선하증권에 수하인이 표시되는 것을 기명식 선하증권(Straight B/L)이며 타인에게 양도가 불가하다. 지시식선하증권(Order B/L)은 수하인란에 To order라고 표시되어 배서에 의해 유통이 가능한 선하증권이다.

□ 화물의 하자상태의 기재유무에 따른 B/L의 분류방식은?

○ 화물 또는 포장의 하자상태의 기재가 없는 선하증권을 "무유보 선하증권
(Clean B/L)이라 하고 통상 "in apparent good order and condition
(외관상 양호한 상태로)"라고 기재되어 있다.

○ 화물 또는 포장상태 등에 불완전한 점이 있다면 유보 선하증권, 고장부 선
하증권(Foul B/L, Dirty B/L)이라고 한다.

□ Red B/L은 무엇인가?

○ 선하증권 자체에 적하보험증권이 결합된 선하증권을 말한다.

○ Red B/L이라는 명칭은 운송인이 화주로부터 적하보험료를 받고 화물손해
가 발생할 시 보상해 주기 위해 B/L면에 보험부보에 관한 사항을 적색글씨
로 기재한데서 유래한 것이나 오늘날에는 거의 이용되지 않고 있다.

□ Seaway Bill 이란 무엇인가?

○ 해상화물운송장이라고 한다.

○ 운송인은 용선자 또는 송하인의 청구가 있으면 선하증권을 발행하는 대신
해상화물운송장을 발행할 수 있다. 해상화물운송장이 발행된 경우 운송인이
그 운송장에 기재된 대로 운송물을 수령 또는 선적한 것으로 추정한다.

□ Switch B/L 이란 무엇인가?

○ 중계무역(삼각무역, 삼국간 무역)에서 주로 사용되는 B/L로써 중계업자가
원수출자를 노출시키지 않기 위해 화물을 실제 수출한 지역에 속한 선사,
포워더가 발행한 B/L을 근거로 제3의 장소에서 Shipper(원수출자)를 중계
업자로 교체하여 발급받는 B/L을 말한다.

○ 스위치 선하증권은 중계무역에서 사용되는 선하증권의 한 형태를 말한다.
이 경우 선하증권은 최초수출국에서 한번 발행하고 두 번째는 중계지의 운
송인이 발행하게 되는데 첫 번째 선하증권은 중계자를 수하인으로 하여 발
행하고 두 번째 선하증권은 최종수입자를 수하인으로 하여 발행하게 되는
데 선적지에서 발행된 첫 번째 B/L을 회수한 후 두 번째 B/L을 발행하게
된다. 이때 발행된 B/L을 가르켜 Switch B/L이라고 한다.

□ 서렌더 선하증권(Surrender B/L) 이란?
○ 선하증권의 종류가 아니라 선하증권상에 Surrender라는 문구를 찍는 등의 방법으로 선하증권의 상환증권성을 포기한 선하증권.
○ 서렌더 선하증권은 송하인이 운송인에 대해 선하증권을 발급받는 것을 포기하거나 이미 발행된 선하증권을 수하인에게 발송하지 않고 운송인에게 반납함으로써 수하인이 원본 없이 신속히 화물을 찾을 수 있도록 한다는 점에서 일종의 권리포기 선하증권이라 할 수 있다.

□ Through B/L 이란 무엇인가?
○ 적하지에서 양하지까지의 운송중에 복수의 운송인이 관여하고 있거나 전 구간을 통해 일관 운송을 인수하고 일관 책임을 지는 것을 내용으로 한 운송 선하증권을 발행한 경우 통과 화물운송선화증권, 또는 통선하증권이라 한다.
○ 무역거래에서 화물이 해상, 내수로, 육상등 여러 가지 운송경로를 통해 운송될 때 전국간에 통용되는 선하증권을 말한다. 최초의 운송인이 발행하는 것으로 통과선하증권이라 한다. 여러 가지 운송경로를 사용하므로 환적이 발생하는데 환적할 때마다 운송계약을 맺어야 하는 번거로움을 없애고 비용도 줄일수 있다.
※ Through cargo : 선적항에서 목적항까지 운송중 입항하는 항구에서 양하하지 않고 통과하는 화물을 말한다.

□ 하우스 B/L과 마스터 B/L을 구분 설명하시오?
○ LCL 화물인 경우에 선사가 포워더에게 발행하는 것을 Master B/L이라하고 포워더가 개별하주에게 발행하는 것을 House B/L이라고 함.

□ 양하지 변경이란 무엇인가?   ★[감정사]
○ 선하증권에 기재된 양하항과 다른 항에 양하하는 것을 양륙지 변경, 양하지 변경(Change of Destination), 또는 항구변경이라고 하고 이 경우에 청구되는 비용을 양륙지 변경료(Diversion charge)라 하며 양하항 변경화물을 Diversion cargo라 한다.
  * Change of Destination = Alteration of Destination
○ 해상운송중에 화주의 양륙항에 대한 변경요청이 들어올 경우 환적이나 기타

절차 없이 화주의 상품이 선적된 상태로 유지할 수 있거나 출항의 지연이 없는 경우에 한하여 선사 측은 하주(또는 수하인)의 요청을 승낙한다.

※ '양지(揚地)변경화물(cargo change destination)'이 선적한 뒤에 양하지가 변경된 화물임에 반해 '양지(揚地)선택화물(optional cargo)'는 화물의 양하지가 선적시까지 확정되지 아니하여 두 항구 이상의 지점을 양하지로 하여 선적되는 화물로서, 보통 선박이 최초의 양하항에 입항하기 24시간 이전에 양하항을 본선에 알려야 한다.

□ B/L remark 중 "10 bags shorted and disputed" 해석하고 설명하시오?   ★[감정사]

○ 10 포대 부족하고 이의가 제기되어 논쟁이 있었음

□ 10 bags shortage의 의미는?   ★[감정사]

○ 10포대 부족함

□ "유류에 의해 심하게 오손, 10개 마대 남겨둠"을 영어로 말하시오?
                                    ★[검량사]

○ Heavily stained with oil, 10 gunny bags shut out.

□ "화물 인수 · 인도 증명서"란 무엇인지 설명하시오?
○ Cargo Boat Note(B/N)라고 한다.
○ 본선으로부터 화물을 양하 할때에 화물의 상태를 나타내는 서류, Remark 란에 해당화물에 발견된 이상이 기록된다.
○ 화물 인도시의 상태에 대하여 수취인측 Checker와 본선의 일등항해사가 서명으로 확인한다.
○ 본선에서 수입화물을 양하하기 앞서 세관원이나 검수인이 본선의 적하목록 (M/F : Manifest)과 대조하여 화물의 이상여부에 대하여 발행하는 명세서 이다.

□ "적화목록"에 대해 설명하시오?

○ Manifest라고 한다.

○ 화물선적을 완료한 후 선하증권(B/L) 사본을 기초로 본선 또는 선적지 대리점에서 작성하는 화물명세서이다.

  * 본선수령증(M/R) → 선하증권(B/L) → 적화목록(M/F)

○ 세관에 제출해야 하는 서류중 하나이다.

□ 선적항에서 혼재하여 싣는 방식에서 '혼재'의 영어표현은 어떻게 되며 혼재하는 장소는 어디인가?

○ 혼재는 consolidation 이라 하고 취급하는 장소를 CFS라고 함

○ 혼재업자를 consolidator라 하며 LCL 화물을 인수하여 FCL 화물로 작업하는 자를 말한다.

○ 포워더(forwarder)와 혼재업자와의 차이점은 포워더는 화주와 운송계약을 체결하는데 반해 혼재업자는 화주가 아닌 포워더를 상대로 LCL을 확보한다.

○ 포워더가 화주로부터 LCL 화물을 받으면 LCL건에 대해서는 다시 혼재업자에게 넘기면 혼재업자는 다수의 소량화물을 CFS에서 FCL화물로 만드는 과정을 거친다.

□ 포워딩(Forwarding) 업체란?

○ 운송, 수출입, 관세 등 화물운송에 필요한 제반업무들을 화주를 대신하여 처리하는 업체이다.

○ 화주를 대신하여 발송인이 되어 선사와 운송계약을 체결하여 전반적인 운송 책임을 맡는 업자를 가리킨다.

□ EDI로 문서를 보내는 곳은 어디인가?

○ Electronic Data Interchange. 전자문서교환시스템. 서면, 우편 등으로 주고받던 문서를 전자문서 형태로 주고받는 시스템이다. 송화인, 수화인, 세관, 운송업자 등에게 보낸다.

□ CVO란 무엇인가?

○ Commercial Vehicle Operation. "화물 운송정보 서비스"를 말한다. 화물

및 차량, 선박 등을 실시간으로 추적하여 이동상태 등을 파악할 수 있는 시스템을 말한다.

□ "Sworn Measurer" 란 무엇인가?
○ 공인검량인이라고 한다. 화물의 용적, 중량 등에 관한 검량이나 증명을 전문으로 하는 공인 검량업자를 말함. 선서검량인이라고도 한다.

□ 1장의 철판이 부분적으로 변형됨을 영어로 표현하시오?
○ One sheet steel plate partly deformed

□ 화물도착이 늦어 출항시간 때문에 싣지 못한 경우?
○ No time, Shut out

□ "50상자 파손되어 내품의 파손상태가 불분명함"을 영어로 표현하시오?
○ 50c/s broken, interior content's damaged condition unknown.
　※ c/s : case(상자)

□ "화물이 연착되어 250 상자를 남겨둠"을 적요하시오?
○ Delayed arrival, 250c/s shut out.

□ Lump Sum Charter(선복운임 용선계약)이란 무엇인가?
○ 항해용선계약에 있어서는 운임은 보통 실제 적재수량에 의해서 계산되나 A항에서 B항까지의 계약선복(톤수)에 의해서 합계 얼마로 정하고 실제의 적재수량에는 관계가 없는 계약을 Lump Sum Charter라고 하고 이 경우의 운임을 Lump sum Freight라 한다.

□ 용선운송계약에 대해서 설명하시오?
○ 종류는 항해용선계약, 정기용선계약, 선체용선계약으로 구분할 수 있음
1) 항해용선(voyage charter)계약 : 특정한 항해를 할 목적으로 선박소유자가 용선자에게 선원이 승무하고 항해장비를 갖춘 선박의 전부 또는 일부를 물건의 운송에 제공하기로 약정하고 용선자가 이에 대하여 운임을 지급하기로

약정하는 것을 말함

2) 정기용선(time charter)계약 : 정기용선계약은 선박소유자가 용선자에게 선원이 승무하고 항해장비를 갖춘 선박을 일정한 기간 동안 항해에 사용하게 할 것을 약정하고 용선자가 이에 대하여 기간으로 정한 용선료를 지급하기로 약정함으로써 그 효력이 생긴다.

3) 선체용선(bare boat charter)계약 : 선체용선계약은 용선자의 관리·지배하에 선박을 운항할 목적으로 선박소유자가 용선자에게 선박을 제공할 것을 약정하고 용선자가 이에 따른 용선료를 지급하기로 약정함으로써 그 효력이 생긴다.

※ 용선운송계약의 비교

구분	항해용선	정기용선	선체용선(나용선)
운임결정	예상항해기간과 화물량, 선복에 따라 결정	기간에 따라 결정	기간에 따라 결정
선장임명	선주가 선장임명, 지휘, 감독	선주가 선장임명. 지휘, 감독	용선자가 선장을 임명. 지휘, 감독
선주의 부담비용	직접선비, 간접선비, 운항비	직접선비, 간접선비	상각비
용선자의 부담비용	용선료	용선료 및 운항비	상각비외 모든비용

□ 현실전손과 추정전손에 대해 구분 설명하시오?

○ 현실전손(actual total loss) : 피보험목적물이 완전멸실 혹은 부보당시의 성질을 그대로 갖지 못할 정도로 심하게 손상을 입거나 또는 피보험자가 회복할 수 없도록 피보험목적물을 박탈당했을 때를 의미한다.

 * 선박이 심해에 침몰하여 인양할 수 없거나 보험의 목적이 제3자에게 점유탈취된 경우

○ 추정전손(constructive total loss) : 피보험목적물이 현실적으로는 전부 멸실한 것은 아니나 손해가 극심하여 종래의 용도에 사용될 수 없거나 수리비용이 피보험목적물의 가액을 초과하여 합리적으로 위부 했을 경우를 의미한다.

 * 추정전손은 위부 통지 없이 성립되지 않으며 선박이 침몰하여 인양하는 구조비용이 그 선박의 가액보다 많이 소요되어 전손으로 처리하는 경우

※ 전손으로 추정 : 이 개념은 추정전손과 다른 개념이다. 선박이 행방불명되어 2개월간 분명하지 아니한 때에는 행방불명으로 처리하다. 이런 경우 "전손으로 추정"한다. 추정전손인 경우 '위부'의 절차를 거치지만 "전손으로 추정"되면 위부절차가 필요 없고 현실전손에 준하여 보험금을 지급받을수 있다.

□ **공동해손(General Average) 이란?** ★★★[감정사]
○ 공동해손은 선장이 선박 및 적하에 대한 공동의 위험을 면하기 위해서 선박 또는 적하에 대하여 행한 처분으로 이로 인해 생긴 손해 및 비용을 말한다.
○ 태풍으로 배가 서서히 가라앉고 있다면 선장은 적재화물을 바다에 투하할 것이고 이로 인해 발생된 손해는 화물의 희생으로 무사히 항해를 마쳤기 때문에 선주의 선박에 아무런 손해가 발생하지 않았다 하더라도 선박가액에 비례하여 정산된 분담금을 부담해야 한다. 손해가 발생하지 않은 다른 하주의 화물도 마찬가지로 분담금을 부담한다.
○ 공동해손 제도는 해상교통의 안전을 도모하기 위해 해난에 대한 적극적인 대책으로서 법이 인정한 제도이며 공동해손은 그 위험을 면한 선박 또는 적하의 가액과 운임의 반액과 공동해손의 액과의 비율에 따라 각 이해관계인이 이를 분담한다.
○ 공동의 안전을 위하여 취해진 행위를 공동해손 행위라고 하며 공동해손 행위로 인하여 발생하는 손해를 공동해손이라 한다.
※ 물적손해는 전손(현실전손, 추정전손)과 분손(공동해손, 단독해손)으로 구분

제5장. 기초단위와 선박톤수

□ 롱톤, 메트릭톤, 숏톤에 대해서 설명하시오?

★★★[감정사/검량사/검수사]

○ 롱톤, 메트릭톤, 숏톤은 무게를 측정하는 중량톤(ton)의 종류이다.

○ 롱톤(Long ton)은 영국식 무게단위로 1,016kg을 1롱톤(LT)으로 정의하고 있다. 파운드로는 2,240파운드(Pound)이다

○ 메트릭톤(Metric ton)은 프랑스식 단위이다. 1,000kg을 1톤으로 정의하며 2,204파운드이다.

○ 숏톤(Short ton)은 미국식 무게단위로 907kg을 1숏톤으로 정의하며 2,000 파운드이다.

○ 요약하면

1) 1롱톤(Long ton : L/T, 영국) = 1,016.05(kg) = 2,240(lb)

2) 1메트릭톤(Metric ton : M/T, 프랑스식) = 1,000(kg) = 2,204(lb)

3) 1숏톤(Short ton : S/T, 미국) = 907.18(kg) = 2,000(lb)

* lb는 라틴어 libra에서 유래했으며 파운드를 나타낸다. 약 454그램이다.

☞ '롱톤에 대해 설명하시오'와 같이 개별적으로도 질문할 수 있다.

□ 다음을 단위를 바꿔보시오?

○ 1 inch = 2.54 cm,   1 cm = 0.39 inch

○ 1 ft = 0.3048 m = 12 inch,   1 inch = 0.083 ft

○ 1 fathom = 1.83 m = 6 ft

○ 1 mile = 1,852 m(해상), 1,609 m(육상)

○ 1 shackle = 27.5 m(앵커체인)

□ 원목(Log)의 검측방법 3가지를 설명하시오?   ★[검량사]

○ 원목의 검측방법은 브레레톤법, 컨퍼런스법, 홉파스 스트링법이 있다.

1) 브레레톤법(Brereton scale) : 미국, 필리핀과 인도네시아 등에서 널리 이용되며 북미재의 원목을 검측할 때 주로 사용된다.

2) 컨퍼런스법(Conference scale) : 미국에서 사용하며, 컨퍼런스법에 의한 1,000 BF는 브레레톤법으로 785 BF에 해당한다.

3) 홉파스 스트링법(Hoppus String scale) : 영국, 인도, 말레이시아, 호주 등에서 사용되는 방법

⚡ 참고자료 - 선박의 톤수

1. **용적톤** : 총톤수, 순톤수, 표준화물선 환산톤수가 있으며 선박의 밀폐된
   내부의 용적을 톤수로 나타내나 중량과는 관계가 없는 톤수

 1) **총톤수(Gross Tonnage)** : "상갑판 하부 및 상부의 모든 폐위장소" -
    "규정상 제외가 가능한 곳의 합계용적"의 값이다. 설비등의 관계법규의
    적용기준, 선박등록세, 검사수수료, 입거료 등의 기준이 된다
    * TONNAGE 1969(선박톤수측정에 관한 국제협약, 1982.7.18발효)
    * 국내법 : 선박톤수의 측정에 관한 규칙(선박법)

 2) **순톤수(Net Tonnage)** : 총톤수에서 선원, 항해, 추진에 관련된 공간을
    제외한 용적으로 실제 화물을 적재하는 공간을 나타낸다. 톤세, 등대
    세, 위생세, 검역수수료, 계선안벽 사용료 등의 기준이 된다.
    * 순톤수는 총톤수의 약 65% 정도

 3) **표준화물선 환산톤수(Compensated Gross Tonnage, CGT)** : 조선업
    계에서 사용하는 톤수로 선형이 복잡해지면서 기준의 GT로는 정확한
    평가가 불가능해지자 새로운 척도의 필요성이 대두되어 화물선 1만GT
    (1.5만DWT)의 1GT당 건조에 소요되는 공사량(가공공수)을 1.0으로 하여
    각 선종 및 선형과의 상대적 지수로서 CGT계수를 설정하여 계산한다.

2. **중량톤** : 만재배수톤수, 경하배수톤수, 재화중량톤수를 말한다.

 1) **만재배수톤수(Full Load Displacement)** : 화물, 연료, 청수, 식량 등을
    적재하고 하기만재흘수선으로 선박의 중량을 측정

 2) **경하배수톤수(Lightship Displacement)** : 선박자체의 무게를 톤수로
    나타낸 것이며 선박의 고유무게에 가장 근접한 톤수, 법정 spare part,
    메인엔진 시동을 위한 각종기기, 파이프, 탱크내에 들어있는 최소한의
    연료·보일러수 등은 경하배수량에 포함

 3) **재화중량톤수(Dead Weight Tonnage)** : "만재배수톤수 - 경하배수톤
    수" = 재화(적재)중량톤수이다. 주로 화물선이나 유조선의 크기를 나타
    내며 선박에 적재할 수 있는 최대 화물무게를 나타낸다. 적하중량에는

연료, 식량, 용수, 음료, 창고품, 승선인원 및 그 소지품등이 포함되어 있으므로 실제 수송할 수 있는 화물 톤수는 재화중량에서 이들을 중량을 차감해야 하며 이것을 순적화중량톤수라 한다.

□ **선박 용적톤의 종류는?**　　　　　★★★[감정사/검량사/검수사]

○ 용적톤에는 총톤수, 순톤수, 표준화물선 환산톤수가 있으며 선박의 밀폐된 내부의 용적 100ft³(2.83m³)를 1톤[2]으로 하며 중량과는 관계가 없는 톤수이다.

1) 총톤수(GT ; Gross Tonnage) : ① "상갑판 하부 및 상부의 모든 폐위장소"에서 "규정상 제외가 가능한 곳의 합계용적"을 제외한 용적이다. ② 설비 등의 관계법규의 적용기준, 선박등록세, 검사수수료, 입거료 등의 기준
   * TONNAGE 1969(선박톤수측정에 관한 국제협약, 1982.7.18발효)
   * 국내법 : 선박톤수의 측정에 관한 규칙(선박법)

2) 순톤수(NT ; Net Tonnage) : ① 순톤수는 총톤수에서 선원, 항해, 추진에 관련된 공간을 제외한 용적으로 실제 화물을 적재하는 공간을 나타냄. ② 톤세, 등대세, 위생세, 검역수수료, 계선안벽 사용료등의 기준
   * 순톤수는 총톤수의 약 65% 정도

3) 표준화물선 환산톤수(CGT ; Compensated Gross Tonnage) : ① 조선업계에서 사용하는 톤수로 선형이 복잡해지면서 기존의 GT로는 정확한 평가가 불가능해지자 새로운 척도의 필요성 대두 ② 선박의 총톤수(GT)에 여러 가지 선종별 계수를 곱하여 선박 건조량을 나타내는 톤수. 유조선처럼 단순한 화물을 싣는 선박과 LNG선처럼 복잡한 설비 및 구조를 가진 선박의 건조 작업량이 다른데 단순히 총톤수로 나타내는 것이 비합리적이라 채택 ③ 화물선 1만GT(1.5만DWT)의 1GT당 건조에 소요되는 공사량(가공공수)을 1.0으로 하여 각 선종 및 선형과의 상대적 지수로서 CGT계수를 설정하여 계산한다.

☞ 총톤수, 순톤수, 표준화물선 환산톤수에 대해 개별적으로 질의할 수 있다.

---

2) 이전에는 선박의 전용적에서 이중저구간과 상갑판 위에 있는 조타실, 기관실등을 공제시킨 용적을 100ft³(2.83m³)을 1톤으로 기준해서 표시했으나, 현재에는 계측방법을 세계적으로 통일한 선박톤수에 관한 국제협약을 기본으로 국제총톤수가 적용되고 있다.(Daum 해양수산용어사전)

□ **선박의 중량톤에 대해서 설명하시오?**　　　　★★★[감정사/검량사]

○ 중량톤에는 만재배수톤수, 경하배수톤수, 재화중량톤수가 있다.

1) 만재배수톤수(Full Load Displacement) : 화물, 연료, 청수, 식량 등을 적재하고 하기만재흘수선으로 선박의 중량을 측정

2) 경하배수톤수(Lightship Displacement) : 선박자체의 무게를 톤수로 나타낸 것이며 선박의 고유무게에 가장 근접한 톤수, 법정 spare part, 메인엔진 시동을 위한 각종기기, 파이프, 탱크내에 들어있는 최소한의 연료·보일러수 등은 경하배수량에 포함

3) 재화중량톤수(Dead Weight Tonnage) :「만재배수톤수 - 경하배수톤수 = 재화중량톤수(적화중량톤수)」이다. 주로 화물선이나 유조선의 크기를 나타내며 선박에 적재할 수 있는 최대 화물무게를 나타낸다. 적하중량에는 연료, 식량, 용수, 음료, 창고품, 승선인원 및 그 소지품등이 포함되어 있으므로 실제 수송할 수 있는 화물 톤수는 재화중량에서 이들을 중량을 차감해야 하며 이것을 순적화중량톤수라 한다.

□ **적화중량톤수란?**　　　　★★[감정사/검량사/검수사]

○ 재화중량톤수(Dead Weight Tonnage)라고도 한다.「만재배수톤수-경하배수톤수=재화(적재)중량톤수」이다. 주로 화물선이나 유조선의 크기를 나타내며 선박에 적재할 수 있는 최대화물무게를 나타낸다.

○ 적하중량에는 연료, 식량, 용수, 음료, 창고품, 승선인원 및 그 소지품등이 포함되어 있으므로 실제 수송할 수 있는 화물 톤수는 재화중량에서 이들 중량을 차감해야 하며 이것을 "순적화중량톤수"라 한다.

□ **용적톤과 중량톤의 정의와 차이점에 대해 설명하시오?**

★★★[감정사/검량사]

○ 용적톤에는 총톤수, 순톤수, 표준화물선 환산톤수가 있으며 선박의 밀폐된 내부의 용적을 톤수로 나타내므로 중량과는 관계가 없는 톤수이고

○ 중량톤에는 만재배수톤수, 경하배수톤수, 재화중량톤수가 있으며 선박 자체의 중량을 나타내는 배수톤수와 선박에 실을 수 있는 화물의 중량으로 표시되는 재화(적화)중량톤수가 있다.

※ 파나마운하와 수에즈 운하는 각각 운하 통과세를 부과하는 톤수기준을 별도

로 가지고 있으며 순톤수를 기준으로 하나 제외되는 공간을 나름대로 정의하고 있다.

□ 상위 10대 선급을 설명하시오?　　　　　　　　　　★[감정사]

○ 미국(ABS), 노르웨이(DNV), 영국(LR), 프랑스(BV), 독일(GL), 한국(KR), 일본(NK), 중국(CCS), 이탈리아(RINA), 러시아(RS)
　* 세계 3대 선급협회 : ① ABS(미국) ② LR(영국) ③ DNV(노르웨이, 독일선급)
　* 노르웨이선급과 독일선급은 2012년에 합병(DNV GL), 현재는 DNV로 회사명 변경
※ 국제선급연합회(IACS : International Association of Classification Society)

□ 만재흘수선의 정의와 종류와 순서에 대해 설명하시오?
　　　　　　　　　　　　　　★★★[감정사/검량사/검수사]

○ Load Line이라고 한다.
○ 허용된 최대적재량을 실은 선박이 물속에 잠기는 깊이를 뜻한다.
○ 선박의 형상과 강도를 기준으로 산정하여 표시되기 때문에 선종에 따라 다르고, 같은 선박이라도 최대만재흘수는 개별적으로 지정되어 있다.
○ 위쪽으로부터 TF(열대담수만재흘수) → F(하기담수만재흘수) → T(열대만재흘수) → S(하기만재흘수) → W(동기만재흘수) → WNA(동기북대서양만재흘수) 순으로 표기한다.

〈만재흘수선 표시〉
TF : Tropical Fresh water
F : (Summer) Fresh water
T : Tropical sea water
S : Summer sea water(=Main Load Line)
W : Winter sea water
WNA : Winter North Atlantic(위도 36°이상을 지날 때 적용)
※ 온도가 높은 담수의 경우 가장 낮은 밀도를 나타내므로 높은 온도의 담수가 가장 적은 화물을 실을 수 있고 낮은 온도의 해수에서 가장 많은 양의 화물을 실을 수 있다.

□ Load Line 이란 무엇인가?　　　　　　★★[감정사/검량사/검수사]
○ 만재흘수선이라고 한다.
○ 선박이 선적할 수 있는 최대적재량을 넘지 않았다는 것을 나타내기 위해 선
　박의 중앙부 양현에 표시된 기호. 선박별로 최대만재흘수가 개별적으로 지
　정되어 있음. Plimsoll Mark라고도 한다.
※ 흘수선(吃水線)의 吃은 '먹을 흘'이라는 뜻으로 물이 먹은 선이다. 흘수의 반
　대개념은 건현(乾舷, free board)이다.

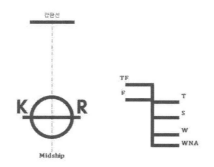

□ 플림솔 마크(Plimsoll Mark)에 대해 설명하고 목적은 무엇인가?

　　　　　　　　　　　　　　　　　　★[검량사]

○ 상선의 목적은 화물을 적재 · 운송하여 운임수익을 얻는데 있으므로 가급적
　적재화물량을 최대화해야 하지만 적재량의 증가는 흘수의 증가, 즉 건현의
　감소를 가져오게 된다.
○ 최소한의 건현을 정하는 권한은 선장에게 있으나 그 판단은 경우에 따라 오
　류가 발생할 수 있고 또한 선주나 용선자의 압력 또는 운송경쟁에 의해 무
　리하게 과적을 하게 될 우려가 있다.
○ 이러한 과적은 해양사고 발생의 위험을 높이게 되므로 운항의 안전을 확보
　하기 위하여 최소한의 건현을 규정하자는 논의가 있었고
○ 1872년 영국 하원의원인 Samuel Plimsoll(사무엘 플림솔)이 이에 관한 법
　률안을 의회에 제한함으로서 법적 규제방안이 마련되기 시작하였다.
○ 만재흘수선 표시는 주창자인 플림솔을 기념하여 '플림솔 마크'라 불리고 있다.
☞ 플림솔 마크는 만재흘수선과 같은 의미이므로 Load Line과 같이 설명하면
　된다.

□ **흘수표(Draft Mark)는 무엇이며 표시는 어떻게 하는가?**

★★★[감정사/검량사/검수사]

○ 흘수표는 용골의 최저선과 계획만재흘수선과의 수직거리를 등 간격으로 나누어 미터법 또는 피트법에 따라서 표시한다.

○ 보통 선수, 선미 양현에 표시하고 대형선에서는 선체중앙부 양현에도 표시한다. 이들을 선수(fore)흘수, 선미(after)흘수, 중앙(midship)흘수라고 한다.

○ 미터법으로는 높이 10cm의 아라비아 숫자로서 20cm 간격, 피트법은 높이 6인치(15cm)의 아라비아 또는 로마숫자로서 12인치(1피트) 간격으로 각인하며 선수흘수와 선미흘수와의 평균치를 평균흘수라고 하며 중앙흘수는 이 평균흘수와 같다.

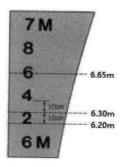

□ **흘수표는 어디에 표기하는가?**

○ 보통 선수, 선미 양현에 표시하고 대형선에서는 선체중앙부 양현에도 표시한다. 이들을 선수(fore)흘수, 선미(after)흘수, 중앙(midship)흘수라고 한다.

☞ 만재흘수선(Load line)과 흘수표(Draft mark)를 정확하게 구분하여 설명할 수 있어야 한다.

□ **국제만재흘수선 규정에 따른 전 세계 해양의 4대 해역을 말하시오?**

① 계절동기대역(seasonal winter zone) ② 하기대역(summer zone)
③ 계절열대대역(seasonal tropical zone) ④ 열대대역(tropical zone)

□ **만재흘수선 적용에서 해역의 구분기준은?**

○ 동기 : 풍력계급 8(34노트)이상의 바람이 부는 비율이 10% 이상인 해역
○ 하기 : 풍력계급 8(34노트)이상의 바람이 부는 비율이 10% 미만인 해역

○ 열대 : 풍력계급 8(34노트)이상의 바람이 부는 비율이 1% 이하인 해역

□ **만재흘수선 표시의무 선박은?**
1) 국제항해에 취항하는 선박
2) 선박길이가 12미터 이상인 선박
3) 선박길이가 12미터 미만인 선박으로서 ① 여객선, ② 위험물을 산적하여 운송하는 선박
※ 근거 :「선박안전법」제27조(만재흘수선의 표시 등)

□ **만재흘수선 표시를 생략할 수 있는 선박 3가지 이상을 말하시오?**
1) 수중익선, 공기부양선, 수면비행선박 및 부유식 해상구조물
2) 운송업에 종사하지 아니하는 유람 범선(帆船)
3) 국제항해에 종사하지 아니하는 선박으로서 선박길이가 24미터 미만인 예인·해양사고구조·준설 또는 측량에 사용되는 선박
4) 임시항해검사증서를 발급받은 선박
5) 시운전을 위하여 항해하는 선박
6) 만재흘수선을 표시하는 것이 구조상 곤란하거나 적당하지 아니한 선박으로서 해양수산부장관이 인정하는 선박
※ 근거 :「선박안전법」제27조(만재흘수선의 표시 등) 및 「선박안전법시행규칙」제69조(만재흘수선의 표시 등)

□ **복원성 유지 선박은?**
1) 여객선
2) 선박길이가 12미터 이상인 선박
※ 근거 :「선박안전법」제28조(복원성의 유지)

□ **LASH선 이란 무엇인가?**   ★[감정사/검량사]
○ Lighter Aboard Ship. 지역의 항만 특성에 알맞게 특수 건조된 선박으로 화물이 적재된 바지선(Lighter, Barge)을 본선에 적재하여 운송하는 선박을 말한다.
○ 주로 유럽의 라인강 등에서 이용하며 수심이 낮은 하천이나 운하를 경유하

여 내륙까지 운송 가능. 화물을 적재한 부선을 선박에 적재하여 운송. 선체의 종방향으로 이동하는 크레인을 상갑판에 설치하여 수면 위로 하역함으로써 항만시설이 없는 항구에도 하역작업이 가능하다.

□ **벌크선에 대해서 설명하고 왜 벌크선에 실어야 하는지 설명하시오?**

★[감정사]

○ 벌크선이란 포장하지 않는 곡물이나 광석과 같은 화물을 그대로 적재할 수 있는 화물전용선박이다
○ 벌크(Bulk)라는 말은 컨테이너 같은 별다른 중간포장을 하지 않고 화물을 그대로 실어버린다는 의미이다.
○ 원유선, LNG·LPG를 운반하는 가스캐리어, 광석운반선, 시멘트운반선, 곡물운반선등이 있다.
○ 벌크화물은 갑판의 해치를 열고 위에서 쏟아 붇거나 이송파이프 등을 통해 선적하여 빠른 시간에 하역(荷役, 화물을 싣고 내리는 일)할 수 있고 운송비용이 저렴하다.

□ **위그(WIG)선 이란?**
○ Wing in Ground Effect Ship. 해면효과익선. 표면효과(surface effect)작용을 이용하여 수면에 근접 비행하는 선박

□ **선박의 중앙하단부의 선수부터 선미까지의 구조물은 무엇인가?**
○ 용골(keel)이다. 선박의 선미에서 선수까지 보통 선저중앙에 길이방향으로 설치된 등뼈 구실을 하는 주요 구조재이다.

□ **용골의 종류?**
○ 용골은 선저의 중심선에 있는 종통재를 말한다. 방형용골(bar keel), 평판용골(flat plate keel), 측판용골(side bar keel)로 구분한다.

□ **선저를 이중저로 하면 좋은점은?**
○ 좌초 등으로 선저부가 손상을 입어도 수밀이 유지되어 안전성이 높아지고 선저부의 구조를 견고히 해 호깅 및 새깅의 상태도 잘 견딘다.

○ 또한 이중저 내부를 구획하여 밸러스트, 연료 및 청수탱크로 사용할 수 있고, 탱크의 주배수로 선박의 중심, 횡경사, 트림등을 조절할 수 있다.

□ **이중선체구조에 대해 설명하시오?**
○ 이중선체(double hull)는 선박 좌초, 충돌 등에 의한 화물창 파손시 유류유출을 최소화하기 위해 선체(선측 및 선저포함)를 두겹으로 건조한 형태를 말한다.
○ 5,000톤 이상 유조선은 2011.1.1.부터 이중선체 구조를 갖추어야 하고 연료유 탱크가 600m³이상인 유조선 이외 모든 선박은 2010.8.1.부터 이중선체 구조를 갖추어야 함

□ **내저판이란 무엇인가?**
○ 선박에서 중심거더, 측면 거더 및 늑판 등에 의해 지지되면서 이중저의 상면을 구성하는 선체구조물이다.

□ **현호(sheer)란 무엇인가?**
○ 선수에서 선미에 이르는 갑판의 만곡으로 선체중앙부에서 가장 낮게 하고 선수와 선미를 높게하여
○ 선체의 예비부력과 능파성을 향상시키며 선체의 미관을 좋게 한다.
○ 선수에서 선체길이의 약 1/50이고, 선미는 약 1/100이다.

□ **캠버(camber)란 무엇인가?**
○ 횡단면상에서 노출갑판의 선체중심선과 양현 끝단간 높이의 차를 말한다.
○ 노출갑판의 배수를 원활히 하고 선체의 횡강력을 보강하기 위해 양현쪽보다 선체의 중심선 부근을 높게 설계한다.
○ 선체의 중앙부분이 위로 약간 볼록한 곡선으로 되어 있고 선박최대폭의 약 1/50을 표준으로 한다.
☞ 현호(선미와 선수간)와 캠버(좌현과 우현간)를 구분할 줄 알아야 한다.

□ **선체의 구조에서 빌지(bilge)는 무엇인가?**
○ 선저와 선측을 연결하는 만곡부를 말한다.

□ Cargo sling의 종류를 말하시오?

로프슬링(rope sling)	와이어슬링(wire sling)
체인슬링(chain sling)	웨브슬링(web sling)
플랫폼 슬링(platform sling)	배럴 슬링(barrel sling)
네트 슬링(net sling)	파우더 슬링(powder sling)

□ 화물창 커버의 정의와 종류?

○ 화물창 커버를 Hatch cover라고 함. 해치코밍과 덮개는 자연고무나 합성고무 제품의 개스킷을 장치하여 수밀을 유지하게 한다.

○ 폰툰 타입(pontoon), 폴딩 타입(folding), 롤링 타입(rolling), 멀티 풀(multi pull) 타입, 싱글 풀 타입(single pull)등이 있다.

□ 텀블홈과 플래어를 구분 설명하시오?

○ 외현상부의 모양이 상갑판까지 안쪽으로 굽어진 정도를 tumble home이라 하고 바깥쪽으로 굽어진 정도를 flare라고 함.

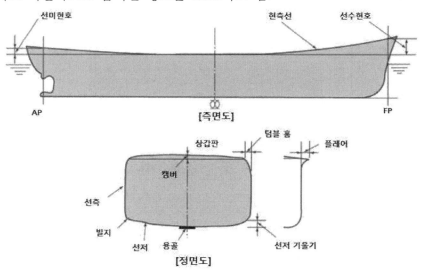